The Waater Mannie

ISBN 0905489 83 7
© *Copyright 2006 Famedram Publishers Limited.*
Not to be reproduced without express permission.

Print:

The Waater Mannie

NEIL MUTCH
of Foggie

*Memories and stories from Neil's life, told in
his own words and brought together by*

WILLIAM G. JOHNSTON

Northern Books
from Famedram

Dedicated to
the memory o my late Wife Cathie

The Rowan Tree

Oh! rowan tree, oh! rowan tree,
Thou'lt aye be dear to me,
En twin'd thou art wi' mony ties
O' hame and infancy.
Thy leaves were aye the first o' spring,
Thy flow'rs the simmer's pride;
There was na sic a bonnie tree
In a' the countrie side.
Oh! rowan tree.

How fair wert thou in simmer time,
Wi' a' thy clusters white,
How rich and gay thy autumn dress,
Wi' berries red and bright.
On thy fair stem were mony names,
Which now nae mair I see;
But thy're engraven on my heart,
Forgot they ne'er can be.
Oh! rowan tree.

We sat aneath thy spreading shade,
the bairnies round thee ran
They pu'd thy bonnie berries red,
and necklaces they strang;
My mither, oh! I see her still,
She smiled our sports to see,
Wi' little Jeanie on her lap,
And Jamie on her knee.
Oh! rowan tree.

Oh! there arose my father's prayer
In holy evening's calm;
How sweet was then my mother's voice
In the Martyr's psalm!
Now a'are gane! We meet nae mair
Aneath the rowan tree,
But hallowed thoughts around thee
Turn o'hame and infancy.
Oh! rowan tree.

Carolina Oliphant
1766-1845

Introduction

NELSON G. B. Mutch was born at Nether Arthrath, Ellon on July 6, 1926, but to everyone who knows him here in the North-east and indeed further afield he is known as Neil Mutch, the waater mannie.

His mother was Mina Mutch and when his grandfather, Alexander Mutch, retired to New Pitsligo, Neil and his brother Robert along with their mother moved there as well. His mother went to work at Netherbrae, Fisherie as housekeeper. Neil and his brother went to school at Upperbrae, Fisherie.

Neil began his working life as a farmworker at the time when the horse was still an important means of power on many north - east farms; then he became a shepherd and was a familiar figure on many of our roads and by-ways for many years. It was about this time that he began his highly re-spected sheep-shearing business which he ran along with his late wife Cathie and which is now run by his grandson, Gavin.

He discovered early on that he had the ability, or the gift, of water divining, and then later on, the power of faith healing.

This book is an account of Neil's life and work based on his memories, reminiscences and stories told in his own inimitable style and in his north-east dialect and mither tongue.

WILLIAM G JOHNSTON
Mosshead 2005

Contents

Chapter One

Yer coos are in e barley

JOHN MacIntosh and his wife bade in the neighbouring croft tae oors and when I was a loon I eesed tae dae some odd jobbies for him, weel he gid aboot wi twa sticks and wisna sae sair able. For daein aa this jobbies I got sixpence ivery wik which I keepit in a bankie aat wis shapit like a dog's heid, it hid a slot on its heid for pittin e money intil. I eesed tae tidy up his midden for him, he wid jist throw e muck oot o e byre door n I wid squaar it aff. I wid gie him a han wi e hyowin o his neeps n cairtin them in asweel. At e back eyn o e year I helpit him wi aa the ither jobbies aat hid tae be deen on a craft, wirkin wi e pony, e coo n e stirks, n sic like.

Ae day Mrs MacIntosh sent mi tae e shop for a steen o oat meal. It wis an aul bike n tho e brakes wirkit they warna afa great, n of coorse, bein e loon A gid e bike wi ma leg through e bar. I tied the steen o meal ontil the cairrier n set aff back tae Mrs

MacIntosh. Instead o waakin doon e hill I wid raither go e bike, e bike gaithered speed so A pressed ma fit ontil e mudguard tae try tae slow things up a bit, e bike gid intil a bit o a wobble, e bag o meal slippit up against e wheel, A ended up doon in e ditch wi only aboot twa pund o meal left.

I gid back tae Mrs MacIntosh an telt her fit hid happened, well e woman wisna verra happy, so she said aat A wid jist get ae sixpence for e month, I think a steen o meal cost aboot half-a-croon at aat time. Hooiver, her man, weel he favoured me in a wye, he caaed mi his foreman as I hid tae dae aa e jobbies for him – n A jist got a sweerin fae him if A wisna daen it richt jist as if A wis a man – weel fin she started sayin aat he said "Damn the linth o ye will" – he wisna gyaun tae let her keep aff e sixpence, he widna hear o that. He wis maybe feart aat A wid rin aff n nae cam back!

Syne there wis anither time, A wid hae been aboot fourteen n it must hae been at a wik-eyn, fin A saa some coos broken oot n in amangst e barley - noo, A didna ken if it wis Tam Smith's eens or Wullie Broon's eens, bit A did ken aat ye could loose a coo if it ate ower muckle barley. So I ran ower tae Wullie Broon n said there wis coos amang the barley, "Oh na" he said "its nae my coos", so es meant aat they waur Tam Smith's eens.

Wullie Broon telt mi tae gyang ower n jist ask for Tam Smith n tell him. For daein es A got some fruit which A stappit up ma jersey. Noo, appearandly

Tam Smith hid faain oot wi Wullie Broon a fyow days afore ower e heids o een o Wullie Broon's stirks aye braken oot. Nae maitter, they hid seen me comin up throu e park an fin I gid tae the door the wifie aat opened it hid a bit o an angry attitude aboot her ye could say.

Hooiver, I jist did as A wis telt – I speired for Tam Smith, she said "Is't Thomas Cumming ye mean?" He wis e horseman lad. "No" says I, "its aul Tam aat A'm wintin." I wis minin aboot e coos, ye see. "If ye want him" she says "its Mr Smith, an if ye want me its Mrs Smith," aats fit I wis telt. Weel, nae maitter, he cam oot an speirs far aboot waur the coos, so I telt him an gid wi him an gave him a han tae get them oot o the barley.

Noo, on e Monday mornin at the school wir teacher pulled the twa classes igither, A hidna a clue fit it wis aboot. But it wis tae say that there wis a very rude person in the class – this wis me - and that I wis a disgrace tae the class. So she called me oot an askit if I hid called at a neighbouring place and had been very rude? I didna ken fit wrang A hid deen. A said aat A hid gin tae this place becis their coos waur oot in the barley. Oh but I hadn't said Mr or Mrs when I spoke to the farmer and his wife wis fit e teacher said. Syne she pit e pinter aneth ma han and gave mi three o the belt as an example till the rest o the class!

It wid seem aat Mrs Smith fa hid been freenly wi the teacher hid complained till her aboot ma manners – but I wis mair concerned aboot e coos ye see, they could have lost a coo – na na, they waurna very grateful at aa. Bit then on e Tuesday at e mart in Turriff some o the ither fairmers hid got on tae Tam Smith for daein sicca thing tae the loon, they telt him aat e loon hid mair sense than he hid, at least he kent foo important it wis tae get the coos oot o the barley!

Bit ye ken, I think tho' I got e belt – aat wis fan the fairmers began tae tak an interest in mi, ay, the local fairmers. An I never bared nae grudge at e teacher tho' she hid strappit mi!

Weel, it wid have been aboot a month afore A left e school fan Wullie Broon cam an wanted mi tae hyow neeps for him an dae ither jobbies like aat for him. An then he says tae mi wis A needin a fee? That wis the wye they did it at that time. Then he telt mi fit he wid pey mi, aat wis eleiven pound which I accepit. So I left the school when I was fourteen – I threw the school-bag aff on e Friday an wis hame tae him on the Saiterday tae start tae hyow neeps – ay, that's how it aa started.

Chapter Two

The Young Horseman

I WIS wi Wullie Broon fae e July till e 28th o
November, Term day. Noo, Broon he took it for
granted that I wis goin tae stay there, bit ye see
he niver asked mi, an so fin he hidna asked mi
b'aboot a month afore term day I thocht aat A wisna
gyaun tae be asked so aat A hid better look oot for
anither job. Bit he hid been intendin keepin mi bit he
hid jist latten the time gang by, bit of coorse I didna
ken this so I hid gotten this ither job wi Sandy
Watson o Newton o Melrose.

My fee at this place wis fourteen pound bit
syne A hid an extra month tae work, a full six
months. It wis at an oot place wi a lad caaed John
Farquhar, he put me on the right road, well, he gave
me a right good start – he wisna a hard man but he
was a straight man. Farquhar wis a great lad tae brak
in horse, ay, that is tae train young horses. So wi me
bein the loon, A wis jist fifteen, I learned a lot fae

him, foo tae dae their theats an their reins an aa that, ay, he trained mi foo tae yoke a horse. Ay, John Farquhar he seemed tae hae a knack wi horses n so I learned a lot.

One job aat A got tae dae wis tae harra – I wis richt prood. The fairmer in ower the palin wis freenly wi John Farquhar, an weel, if he hid seen mi in ony difficulty he wid hiv cam tae mi – he wis that type o a lad.

The foreman down at Melrose wis makin an afa peer job o the saain o the crap, it wis the lang broadcast machine that they eesed there tae saa wi, weel sometimes he hid it shut on an sometimes he hidna. Nae pride in his work – at that time ye hid tae hae a bit o pride in yer work.

The fairmer winnert if John Farquhar wid come and dae the sowin and leave the foreman tae dae the harrowin. John's reply was "if he canna saa he canna harra wi clips – I'll start the loon, he'll pey mair attention."

So I managed. The farmer Alex Donald, spoke a lot about that.

It wis a gey stormy kind o winter an aa the roads wis blockit so John Farquhar, Alex Donald and m'sel set aff to Macduff and Banff wi floor bags tae collect the messages. Some o the lads went into the Ploo Inn for a drink, ay, n some o them took a drappie ower muckle n fan they cam oot they sat doon on the loaves amang the snaa – ay, it wis great fun for a young loon!

My next place was wi Mr John Mitchell, Auchlinn, far I went for second horseman – es wis a fair step up, I wis jist sixteen. John Mitchell, he said "Yer a gey young loon but yer game."

A myn ae day A wis wi e drill ploo – pittin up dreels for saain neeps – an ye hid tae hae them as straight's ye could. Maggie the hoosekeeper wis feedin the hens an she says "Ay Mutchie, yer stikkin in, nae a bad job – bit ye could cork yer airsie wi a neep seed!" Henry Barron, ay, he wis the grieve there, and he said tae mi "Ay, yiv gey knackin heelies bit yer knackin heelies will gyang fae ye" – aat's fit he eesed tae say.

The only difference atween the first n e second horseman wis the pey, the first got a bigger pey than e second fa wis jist daein e same job.

Fae the time aat A left the school A bade in a bothy, ye could ging hame as aften as ye likit, maybe twice a wik, it aa dependit on foo far awa yer hame wis of coorse.

A eesed tae gyang tull a lot o hyowin matches in the evenins and compete wi the ither fellas syne the wikends fin ye wis toondie, afore cattle time, there wis a lad cam wi sheep in the winter time – Walker wis his name – an I wis wintin tae learn e wye tae pit up nets, ay sheep nets, so he showed mi the wye tae dae it.

A normal day's work wid start aboot six-o-clock, aat's fan ye got up, it wis an afa offence tae sleep in – nae sae muckle wi the fairmer bit it wis afa embarrassin if some o the neighbourin lads saa yer licht five minutes late. Ye wid ging tae the stable first an see tull yer horse, this wid be aboot half past six, ye wid gie them their corn and their hey, syne ye wid hae tae rub them doon. Es aye reminds mi o e lines fae aat weel kent bothy ballad, Drumdelgie, far it says:

> *"It's there to corn our horses,*
> *Likewise to straik their hair."*

Syne ye wid hae tae muck yer horse, each horseman scrapit oot the dung, the foreman he swypit, n as second horseman I wid ful the barra an rowe it oot. Aat wis jist the routine.

Efter ye hid deen that, at aboot siven-o-clock ye went intil the hoose, intil the kitchen for yer brakfast. Fae the same verse o Drumdelgie it gid on:

> *"Syne, after working half-an-hour,*
> *Each to the kitchen goes,*
> *It's there to get our breakfast,*
> *Which generally is brose."*

It wis gey regimental at that time – the fore-man he wid pit in his meal first intil his brosecap, ye darna start afore him, syne aabody cam efter him, the cattleman wis usually ahin me. It wis e same ootside, as second horseman you couldna cam in aboot tae the horse troch an let your horses' heids in e troch

18

first – ye hid tae let the foreman's in first – as langs his horses touched e waater you could let your horses' heids in tae drink. Syne e grieve wid cam in wi his thoombs in his braces an tell ye fit work ye wid be daein aat day – you'll ging tae the ploo an you'll caa neeps or fitiver – syne ye wid be ready tae harness yer horses.

Noo if ye wis at e ploo ye wid hae plooed until aboot half past eleiven then ye wid cam hame tae let yer horse get a feed – syne ye wis oot again till half past five. Ay, ye wis comin doon e road whiles n it wis real dark. If it wis a richt dark nicht afore lowsin-time ye couldna come borin hame, na, the fairmer wid be thinkin he wisna gettin a ful yokin. Some o e lads wis aas feart aat their furrs widna be stracht in e mornin fin they gid back tae the ploo that they gid a empty furr, that is they pit their ploo intil the last furr aat they hid plooed n gid alang it again jist tae fill in time.

Fin ye wis workin wi horse the secret wis in the yokin – if yer horse wis richt yokit they waur pullin richt – it wis half the battle – they waur walkin comfortable n ruggin comfortable – ye wisna gien een mair tae pul than the ither een – that wis the secret o it.

It wis aat es time fin A wis at Auchlinn aat A learned tae dae the sheep nets. Noo, there wis a hairster there that cam, a lad Smith, weel he hid a fair sized faimily – ay, a guid lot o bairns – so he wis needin tae keep aa the milk aat his coo could produce, n it hid jist calfed. So he says tae mi wid A cam an buy this calf fae him? So I gid an A bocht e calf, n aat wis e start o me amon cattle - I myn it wis a gey open-air byre bit the calfie did aricht. I canna myn fit A paid for it bit A div myn aboot buyin it an aat it wis a kin o a reid coloured calfie. Ay, es wis jist so aat his bairns could get mair milk that he winted me tae buy it.

An then it wis aboot es time aat A first saa waater divinin bein deen. It wis at Backhill o Auchlinn, aat wis e neighbourin place aat I files gid up tull an gid him a han tae hyow neeps. Weel he wis a crafter lad an he wis bothered wi asthma.

Noo at that time e neeps wis saain a lot thicker tae mak sure aat they wid growe, so some o's wid jist ging in an evenin an gie him a caa tee wi the hyow. Bit it wisna for the sake o money aat ye did it, it wis jist for the sake o there, an ye maybe got a good tea afore ye cam awa hame. Ay, aats aa that it wis - it wis jist friendship n bein a guid neebour.

So it wis here aat A saa the first divinin, A wid hiv been aboot sixteen ar siventeen, ay, n it fair inspired mi – A fair took notice o't. They were jist lookin for either a drain or the well - I myn o gyaun across the well wi the twig, ay, haein a shottie like, so A got it till work an A began tae think a lot mair aboot it.

Chapter Three

Ye ken fit macaroni dis

I WAS at Auchlinn for four year n six months, weel aat wis durin the War n eence ye wis six teen ye couldna leave – ye hid tae get an exempt or something, ay, ye hid tae get a permit afore ye could shift fae ae place till anither. So I wis twenty fin I left Auchlinn an A went to James Clark, Tillyfar, as little baillie, aats fit ye caa a cattleman, ye hid the head cattleman an the little baillie.

Noo at Tillyfar he hid a herd o pure Black Aberdeen Angus, there wis five o's there – no, there wis six o's there coontin his ane son, twa horsemen, twa cattlemen, a tractorman an himsel. It wis himsel aat gave oot e orders.

Ah weel, A gid hame there, ach it wisna the same there ye ken – ye jist got a certain time in e hoose for yer maet, an ye didna get leave tae wash in the hoose, ye hid tae cairry waater oot in a pail till the bothy an wash oot there. I can myn e diets, eence

21

ye hid been there for a filie ye kent fit it wid be ivery day o the wik, ay, it wis gey predictable. A myn ae lad, es maybe a wee bittie rude ye ken, bit it wis macaroni we wis haein es nicht n it wisna jist wir favourite but w wid be scrimpit o maet if w didna eat it. So then w gid doon till the pub an hid a beer – an w says w hid better nae hae anither een – w were mynin aboot the macaroni swallin, bit es lad he wis needin anither een an so he did. Bit damn't, nae lang efter, somebody cam on him at the back o the smiddy, he hid his briks doon n he wis astride, tryin tae get relief – A'm tellin ye w didna sit easy in the picters aat nicht !!

It was there at Tillyfar, on ma first day there the sin wis wi mi – he wis gyaun real regimental like – weel he hid been in the Home Guard. Aul Clark, he hid a quick wye o spikkin, n he says till mi tae tak oot es bull – pit him in the halter n tak him oot. So A did that, nae problem, led him oot nae bother. So then he says now pit the halter ontil es next bull bit James, his sin, will be next til his heid as he's a bittie quick, fitiver he dis, if he gies a jump, be sure an tichten the rope.

So aricht w set sail wi es een, weel, the hens they gave a wee bit o a flutter – the bull he gave a roar – an instead o James bein ready tae keep him ticht on e rope at his heid, instead o that he gave him a bit o slack an cam in atween e bull an me. Of coorse I gave e rope a guid yark bit by this time it wis aroon his belly an so he gave oot a great yell. I hid nither a thing tae dae bit tae lat go o the rope because the bull wis pullin at it n it wis ticht roon his belly. So A let go, noo, jist at this time the train it wis comin fae Turriff makin up the Banff wye an e train driver he saa the bull rin aff so he tooted his whistle - weel, the bull he made aff up e park an he landed in e dam!

Ah weel than, jist afore e time o the bull sales w hid tae mark aa the calfies, es wis so aat w could identify a calf if ye wisna richt sure fit coo wis its mither, w jist knipit a bit wi wir scissors. Noo w aa hid sae mony calfies tae look efter n the tractorman wis lookin efter the heidman's calves, n so I wis telt tae see aat the tractorman raise in the mornin, of coorse I did that.

"Ay, ay" says e tractorman, "am nae risin yet." So I says "Well, A've waukened ye min, ye'd better rise."

Weel, weel he didna rise sae quick so he jist pit tee his calfies an gave them a wee suppie n syne he cams roon tae me an says "are ye nae throwe yet?" I hid gien mine their usual time tae suck n I says "yer calves canna be richt suckit yet."

"Oh" he says "I'll gie them a richt sook at dennertime." So I says "Weel, please yersel, but ye'll upset them." So at dennertime he says "I gid them a fair sook bit there's een o the coos got a rale sair, ticht edder bit I'll pit fower o the calves tee tull her at nicht."

The foreman an me wis thinkin well he's had

it wi that – they'll ken the strange mither an they winna sook.

So roon comes Mrs Clark an she speirs if A hid managed tae get ma calfies sookit aricht so I says aat A hid. Then she asks foo wis e tractorman gettin on – "Oh, I dinna ken" says I, bit fin w opened the door an lookit in here's a calf takin up the byre wi its tail in the air bit naebody tae be seen – then here's him wi fower calves in aside e coo tryin tae get them tae sook her – bit they were fit ye wid caa huffed, they widna sook, ay, they hid sulkit.

Ye see, he should hiv jist hand milkit aat coo rither than tyauve wi the calves. It wis aa doon tae nae risin in the mornin – if he hid risen at the time he wis telt tae rise he wid hiv deen't aricht!

Ach weel, he wisna the best o a lad, ay Clark, an his sin wisna great either, so I says tae m'sel five months wis lang eneuch here, A'm nae bidin ony langer. So Clark, he says tae mi fan he peyed mi efter e bull sales " I'll give you half - a - crown for a little encouragement" bit I says that I wis intendin leavin in a month.

"Well" he says "if yer going to treat me that way I'm going to keep it all", so he did!

So then I gid hame tae Duncan Wilson o Faichfolds – aats jist nae far fae Auchlinn, jist aboot a couple o miles – so I gid hame there. A wis there for a year an a half. There wis a prisoner o war at that time cam an stookit an did jobs like that. At the neighbourin place far a lot o's met up in an evenin –

the fee'd lad he says aat it wis an afa shame aat he, ay, the prisoner o war lad aat is, didna like e food aat he wis gettin – they should have made something else for him. But Jock Mackie, he wis a big, stout kin o a lad an he hid a puckle sins awa in e War, weel he jist thumpit the coonter at this place aat w met, an roars oot "Do you not understand, they are our enemy!"

W often gid tae King Edward tae the dance hall, there wis dances there – so, well, ye wis quite familiar wi a lot o the lassies fae roon aboot. Ae nicht es big fella, weel he wis makin a pest o himsel till this deem, an weel, I used tae dance good lots wi her ye ken. Bit she cams ower tae me es nicht an says "Hid I onybody?" an I says no. So she says "Could I get up e road wi ye?" Because es lad wis aye makin a pest o himsel till her.

So I said it wis aricht n jist remember at the last dance n that'll maybe gie him a hint, ay, tae bide aff, like. So that wis deen. So she says "Weel, A hope it disna start a fight daein this!" Bit I says tae her "Ach, he's maybe big bit I've got a lot mair action!" Ay, aat's a true story, A wid hiv been aboot nineteen at the time.

So A hid been at Faichfolds aboot a year an a half then A decided, weel, A wis thinkin o gyaun in for sheep at that time, A hid a fascination mair for them, bit, hooiver, Birnie o Whitehill's father died jist fin I left Faichfolds n es Birnie's uncle he wis friendly wi Faichfolds n he kent that I wis newly awa so he says tae mi "Damn't, Charlie his lost his father n he's a kin o lost hert, wid ye gyang hame tae him?"

So I decided tae gyang – A got good money – A canna myn jist fit A wis peyed.

Well there wis beasts inside n alang wi aathin else aat hid tae be daen A jist hid tae ging there richt awa. Aboot e first thing aat A did fin A got there wis tae hae a thrash so aat the beasts hid some strae aat first nicht.

There wis a fee'd loon at this place n I wis a kin o the foreman, bit ach, efter he, ay, Charlie Birnie, hid githered a bit mair hert n got a bittie mair perky like, he says tae the loon, ay, nae tae me, "Remember and rise and feed that stirks" becis they waur gyaun awa tae the mart.

I says tae m'sel, damn't, w didna need tae be telt e last time, an onywye, it's me he should've been tellin nae the loon. Weel, did he nae tell the loon again so I says weel if he's as worried as that I'll see that he's up. So for a bit o fun I blew the dogs' whistle, aat wis at aboot five o'clock in e mornin. Ah bit he wis up n A kent he wisna very amused fin A gid in for ma brakfast.

Weel, weel, aat wis aboot aa the excitement there, so A meeved on again.

Chapter Four

Sheep n dogs an a bittie coortin

SYNE A gid tae Harry Milne o Logie n started the first flock o sheep there - Hill Cheviots – they were bought n pitten ontil fit wis caaed the Hill o Alvah – that wis roch grun at that time. So, there wis es lad fa wis caaed Lordy, noo he eesed tae buy horses n the horses aat he bocht he wid hae tae waak them hame – he wis fit ye micht caa a bit o a worthie – n afore I gid hame tae Harry Milne's Lordy wid waak the area tae mak sure that neen o the sheep hid broken oot. Noo fan Lordy and me got igither he says tae mi aat es wis the only sheep aat's iver stampit their feet at the Lord!

Ae time some freens o Harry they come n gave us a hand tae gither up e sheep n tak them fae the Hill o Alvah tae Dogshillock o Blacklaw nae far fae Aberchirder. At es place there wis fit wis caaed second crap – aat's far the hey his been taen aff n it his growin again – so there wis a field there tae be grazed. It wis jist my job as e shepherd tae waatch them n mak sure they didna brak oot. A wid pit them on durin the day n then tak them aff at night. A hid atween five hundred n six hundred sheep, ay it wis nearer six hundred.

Es grazin hid tae be peyed for of coorse, it wis jist a rate per day n A hid a book far A keepit a record o aa the places n foo lang the flock wis there. The fairmer wis either peyed at e eyn o e season or at e New Year.

So efter ye hid finished e grazin at one fairm ye moved on till maybe jist the next fairm an grazed there. Ye jist waakit them, es five hundred tae six hundred sheep, on the road n tae dae this ye hid tae hae a good pair o dogs, bit of course, there wisna the volume o traffic at that time as there is nooadays.

Ma first dog aat A hid her name wis Fly n A bocht her frae Alan Mowat, she wis a gran dog, if A myn richt she cost mi twenty pounds. Ye ken A eesed tae tak her aboot on ma motorbike. E first time wis fin w wis lambin at Logie bit w hid tae gyang tae far w hid some ither sheep on e neeps tae meeve them.

Weel, w pit her atween Alan n masel bit aat wis shovin me ower far forrit so fin w waur comin back A said tae Alan aat A wid try her sittin on e petrol tank in front o mi. Ye ken she pit her paw up against e petrol cap n she sat there nae bather, A jist hid tae mak sure aat her tail didna dangle doon ontil e plug.

Weel efter aat aat wis jist far she aye sat, A jist aye said "Bide doon noo lass" n she did. Eyven fin w gid throu e likes o Macduff ar Banff ar ony village far there micht hae been a bobbie gyaun aboot she jist sat there inabelow ma leather coat wi jist her heid stickin oot !

A bred her wi a dog caaed Corbie n she hid six pups, A selt fower n keepit twa, een wis caaed Una n she wis turnin oot tae be a guid dog bit sadly she got run ower.

A myn ae time fin A wis on e road wi a flock roon aboot Gamrie n A hid ma twa dogs Spot n Fanny, Harry Milne n anither lad wis giein mi a bit han. W waur comin up til es hoose, somebody aat Harry kent n so Harry telt mi tae gyang til e hoose n A wid get a cup o tea. Weel A wisna verra keen tae dae this so A hurried up, A dinna sippose aat A hid bin awa bit aboot ten minutes. Fin A cam back A cwid see aat they hidna meeved verra far n A cwid see Spot bit nae Fanny. So A speirs at Harry n es ither lad far aboot wis Fanny? Oh they said, she hid set aff back doon e road, ay, doon e road aat w hid cam.

Fin A hid gane intil e hoose for ma tea she hid lost sicht o mi n the ither twa lads hid gien her a bit shout so she turned tail n made aff. Weel, appearandly she hid followed e roads aat w hid travelled wi es flock aa e wye back doon throu Macduff n Banff, fae one place til e ither, richt back tae far w hid started, aat wis at e oot fairm o Dogshillock. Of coorse A didna ken aa this til a twa three days later on, bit it learned mi a richt guid

lesson, ye maun niver leave yer dogs as I did, they
are loyal tae you – you hiv tae be loyal tae them!

Ay, ower e eers A've hid a guid fyow dogs – Dot
n Molly n Robbie n Ben n Mirk n een ar twa mair. Ye
hid tae hae guid dogs especially fin ye wis meevin gey
big flocks alang e roads n byways. A myn e biggest
flock aat A iver hid on e road wis een o siven
hunner. A wirkit three dogs tae dae't.

Ye aye hid e next place ye wis gyaun tull ye aye
hid it arranged afore han. If ye could get yer flock
ontil a park o new grass – the first eers sowed – well
it wis aye fine an tasty for them an ye kent that they
widna brak oot. Maist o the fields jist hid cattle
fencin, ay, three strands o wire, so it wis yer dogs aat
keepit them in, ye hid tae hae een o yer dogs aat wis
able tae gyang roon the ootside tae keep them in.

Some places ye wis only there for a day then ye
moved on, an it wis aye tae places aat the fairmers
didna hae sheep, an eence ye got tae the farrest oot
een ye wirkit yer wye back again. Sometimes A
stayed in e bothy, sometimes in e hoose, an A jist fed
alang wi the fairmer. Ay, aat wis the wye it wis deen
an it wis a good enough life.

Funny enough, the first place aat A gid till wis far
my wife come from. I hid finished grazin there, an
nae thinkin naethin aboot it, ower at anither place
they hid a bit o oot grun far they were takin up
tatties far A gid tae gie them a hand. Noo, the boy-
friend that she hid at es time, he hid started caperin
aboot wi some o the tattie-pickin quines, ay, jist ower

e denner time. She wis busy, her an her mither washin e dishes, so eence e dishes wis finished she cam through, and he, ay, the boyfriend, wis still persistin wi this caperin, so she steed an waatched them for a meenit.

Noo I wis sittin at the ither side o the room, it wis a teem hoose an I wis jist sittin on a pile o bags, so I wis sittin there waatchin her an waatchin him, an then, all at once, she waakit across e room an sat doon on ma knee an pit her airms roon ma neck an pit her heid tee tae the side o my heid, ay, an jist sat there!

God, I didna ken fit tae dae, I wis a stranger tae that area I can tell ye! Bit it didna maitter onywye, aat gid by, the boyfriend did say tae me "Ay, ye'll try a lang time ar ye try there." I says "It's your myn aat's filthy, its nae my een, my mind is crystal clear an onywye ye brocht it on yersel !"

Bit I wisna thinkin onythin mair aboot it, A went awa wi ma sheep. A wis at the ither fairm fin I saa her next, three ar fower days efter, an she says "A'm stoppin wi Sandy – if I hid the dancin classes here I'm stoppin wi him, A'm tellin him fin w cam awa fae the dancin classes at that's it – A canna trust him nae mair."

An then she speirs aat mi if I wanted tae ging oot wi her but nae ar she wis finished wi him. So it did start efter that, at the next dance aat A wis aat wis fan w started gyaun igither. Oh, A hid seen her afore bit A wis niver thinkin aboot romance at that time

31

till it happened – an it wisna till she said it hersel
that it started!

Syne the sheep wis hame tae Logie tae start
the neeps, aat wis in Gamrie. A hid tae flit them ontil
the neeps intil squares made wi the nets, aat wid hiv
been aboot Hogmanay time. It wis at this time aat A
gid ower ma ankle – it wis jist ower the edge
o a kerb, bit weel, I gid ower it so I wis aff. A gid
ower tae Harry Milne the next day, waakin wi a stick
an telt him fit A hid deen, ay, aat A hid gin ower ma
ankle, bit he said ach it wid be aricht, the sheep hid
jist started the neeps an that he wid easy manage tae
wirk awa for a wik.

Ah well, efter a twa three days he thocht they
were beginnin tae come tee on the bittie he wis
allowin for them so he wis needin them shifted. So
he comes an speirs if A wid manage, weel I wis
supposed tae be restin ma ankle bit A said that A wid
dae it.

So I set aff, that wis fae Logie o Gamrie tae
Grahamshill o New Deer wi es flock o sheep. I wis
goin on fine the first haaf bit then jist afore A come
tae Cuminestown there wis es lad – Paxton – he
shared the flock wi Harry Milne – he cam tee at
Cuminestown an he wid gies a help.

Noo at that time A hid three dogs. So we wis
goin on an the lad, he didna like keepin them tee, bit
tae save me waakin back n fore A hid caaed them aa
the gither. He says "fit's the idea o' daein this?" I
says "Michty, ye canna ging throwe e toon wi twa

flocks!" So, nae maitter, w got throwe e toon aricht n we were goin on, an damn't , my fit wis beginnin tae growe sair. So A decided tae gie him aboot haaf e flock an A left him wi a hardy eneuch dog bit he let them ging intil the edge o a park aside the road an he fell a guid bittie ahin.

I met Harry's brither an he tells mi tae gyang richt past the Aslied road there an jist intil the next gate an yer intil the field. Ah well ar I got mine deen he wis a kinna tee on es road bit by this time he wis tirin an turnin thrawn kin, an he hid gin doon the fairm road. Ar I got waakit back an him diddlin awa slowly wi the pucklie aat he hid it wis gettin dark, ay, darkness wis approachin. Well w jist hid tae keep gyaun this road, it wis nae eese comin back as there wis mair chance o gettin a motor. W could see the white luggies bobbin in the dark an w seen got them intil e park. So w gid intil the fairm hoose – helluva dacent fowk – an they gid us wir supper.

W waur sittin awa at e table fin Paxton he speirs if he could get a bed for e nicht, he says "God A think I'll be asleep afore A wis at Aiberdeen". He wis big n fat n nae eesed wi muckle work, n he hidna been very muckle o a help. The fowk at the fairm said it wid be aricht, he wid easy get a bed. So wir sittin there haein wir supper, bit afore w left the table es lad, he hid faan soun asleep, ay, at the table!

Next mornin I wis oot n hid the sheep ontil the neeps ar he appeared, so he says tae mi "Ye can ging onywye ye like wi them bit A'm damned if A'm comin wi ye!"

Well, w finished the neeps at es place n w shifted ower till Reid o Cairnbanno – aat wis jist a couple o miles further ben the road. The fairmer here, well he'd a sair kin o a back, an weel wi me bein the young lad n fit enough, n ma fit wis aricht by this time, I wid gie him a han.

They hid their ain barn mull n if it wis a dark mornin A wid start the ingine n w wid hae a thrash. A wid gie him a han tae muck oot the byre ar fitever e case micht be, A jist gid n helpit them. Then if it wis a raa kin o a mornin he wid cam wi mi an get up some stakes, so that A wisna oot sae lang in e rain.

A lot o them didna dae that, ay, n a lot o the shepherds didna dae fit I did. Weel, bit I thocht if the lad wis needin a help n the sheep nae needin naethin I could please m'sel. Aat wis the policy aat Harry Milne n me agreed till, as lang as the sheep wis aricht I could please m'sel.

Ah well, there wis es ither day, n A wis helpin him tae caa strae, n there wis this craftie jist ben the road side, it wis a big, stout kin o a woman aat bade in this neighbourin placie. Weel she hid her waashin oot on e line n I could see aat she hid yon aul fashioned kin o knickers. Weel, w saa her gyaun awa so e next time fin A wis comin back wi a load A took an oxterful o strae n A filled her knickers. Bit of coorse she hid cam back so she kent fine fa hid filled her knickers – bit ach, it wis jist a bit o hairmless fun n a guid laach asweel.

Well, the oot grazin wore by an the lambin started at Logie. Harry n me, ye ken, maybe A should've caaed him Mr Milne efter me gettin strappit, weel it wis jist aye Harry. So we wis lambin his ewes n es day Harry, he wisna marriet bit he wis quite a bit aaler than me, ay he wis an aaler lad ar he got marriet, an he hid been thinkin aat he wis wintin awa es day, ay, ye ken fit A mean!

So, w wis lyin aat the dyke-side waitin for es yowes tae lamb an he says tae mi "Is there such a thing as love?"

Ah weel, bit I wis stuck for fit tae say so he says "Damn't, ye surely hinna an unswer?" Bit I hidna guid gien an unswer, weel ye see Cathie wis takin mornin sickness by this time, so I wis in a bit o a fix.

So aat wis aricht bit then wi me bein on the hill, ae day een o ma dogs brobed his fit wi a thorn n it hid swallt so I says could he tak it hame? Ay says Harry he wid tak it hame, bit wi him landin in the pub as he gid hame he forgot aa aboot the dog in the motor ye see. So on e Sunday nicht off he sets tae ging coortin. Weel, he'd been caperin aboot on e back seat, ay, wi the deem aat landed tae be his wife like, n the dog, weel she gave a reeshsle.

"Damn't" said Harry "she widna sit efter that!" A think it wis e dog aat he meant!

Fin A wis daein e flockin es wis deen in the winter time, A wis usually on e road fae aboot October till the back o the New Year. A could get hame at odd times an at e wikeyns.

Syne w gid ontil e clippin, it wis John Milne o
Broomhills aat w wis at, Alan Mowat and Tom
Sesford n m'sel. Tom wis clippin es day n a sheep ran
aff, ay, jist wi haaf a fleece n so of coorse he wis a
bittie annoyed aboot es so he says "If I get hold of
you I'll show you where the hell tae nip the daisies".
I says as quick as a flash "Ah weel y'll hae a lang wye
tae gyang tae dae that!" The sheep wis awa weel
doon e road!

It wis at es time aat Alan Mowat, he stabbit
his leg wi the sheep shears, ay a sheep kickit it n it
gid intil his leg so he wis aff work for a fyle. Weel b'
this time A hid a motor bike, an aul Enfield, so A
eesed tae tak Tom aboot on e back o the bike tae e
different places w waur clippin at.

Noo Tom wis a big, stout kin o a lad n so fan
he sat ontil e back I wis shoved as far forrit aat A wis
sittin on e tank. Comin doon e braes o Pennan wi his
airms roon ma middle n he grippit on like hell, n tae
start wi fin w gid roon a corner he wid lean the
opposite wye fae me, ay A hid tae tell him tae lean e
same wye as I did. Bit I hid a great respect for Tom
Sesford n for Alan Mowat asweel, they fairly learned
mi foo tae dae the sheep shearin, they baith took
great pride in teachin mi the richt wye tae dae it.

As A wis learnin aa aboot sheep n sheep
shearin n foo tae be a shepherd A hid tae learn aboot
e bonnet, e stick n e post. In aulden days horsemen
hid tae get e 'horseman's wird' n tae get it hid tae

gyang throu a bit o a ritual, as shown in es twa three
lines fae e poem caaed "The Horseman's Word"

'So wi loaf an whisky bottle an a cannle to gie licht,
Fae the bothie to the barn I gaed at mirkest hoor o nicht.
A cloot was wuppit roon my een, an mony a question spiert:
"Fat are ye needin maist?" By luck I wasna sair misleart;
Wi duntin hert, I managed to habber oot, "Mair licht."

– weel tae become a 'good shepherd' ye didna hae
tae onythin like aat tae ging throu bit ye hid tae
prove aat ye kent aboot sheep n aat ye could look
efter yer flock richt.

Noo e bonnet wis e first stage n he wis a lad
aat hidna anafa lot in him n wis jist suitable tae
chase e flock doon e road. He wis usually employed
b' dealer kin o lads as a drover tae meeve sheep
atween e marts, there wis a lot mair smaer marts at
at time. He wid be telt tae stop at e 'Star Hotel' n tae
pit e sheep intil e park, e gate wid be open n 'Mrs
Green' wid look efter him.

Es jist ment aat he wid hae tae bide ootside wi
the stars as his reef n e green girse for his bed n for
his sheep tae aet. His ane maet he wid hae tae get fae
ony nearby crafter, maybe a bowl o brose.

Neist cams e stick, he's a lad aat thinks he
kens aathin bit e answers aat he gies are aa wrang, es
is becis he widna listen. Oh ay, he aye lookit e pairt
wi a fine braw jaicket n a bonnie like stick, ay he
lookit like a richt shepherd bit it wis aa show, so e

passwird for him is 'e stick's e best o him'.

Then w hiv e post – noo e lad wi e post is e lad aat ye hiv tae waatch, he could dae ye some hairm. For example he micht let oot yer sheep or eyven tak some o yours awa, jist tae try tae get ye a bad name. Bit the aulder shepherds they hid a wye o dealin wi es kin o character. Fit they wid dae wis es, they wid get hud o him n pit his heid doon intil a rabbit's hole then they wid pit a stick intil e grun hard up against his backside. Noo he hid tae try tae wriggle oot n it wisna e easiest thing tae dae, bit weel aat wis his punishment for tryin tae spile a young, promisin shepherd.

E neist step for me becomin a 'Good Shepherd' took place at Foulzie o' King Edward, aat wis George McBoyle's place. He likit a bit o a drink bit nae maitter ae day fin A wis there winterin ma sheep he cam inaboot tae mi n he says tils "Ay, yer sheep hiv aa fine stained tails n fite heids." He hid an iron cleik wi him n he shoved mi efter e back n he says "Now keep it up, yer on the right road, yer past e bonnet, bit keep on e right road. Now you'll meet e lad aat his aa e answers bit they're nae e richt answers bit e password for him is 'E sticks e best o him'". Es wis fit wis caaed gien ye yer first stick.

Syne eence yer by aat yer ready for e step up tae bein a 'Good Shepherd'. Es happened at Dunecht far wi hid been daein some shearin, Bill Davidson the heid shepherd fae there n m'sel waur baith passed at e same time. It wis a Sandy Milton aat gave's e second stick, ay, he hid cam up fae e Borders tae wark at Dunecht, ah weel es day he says til e shearin lads fin I hid been awa daein somethin "A'm needin a richt job deen noo". They said tae mi fin A cam back "Fit e hell's adee, did w nae clip them richt e last time?" "God" A says "as far's A ken aathin wis aricht".

Ah weel, Sandy cams up tae mi fin A cam back n he says tae mi "Noo, your in charge, see aat e fleeces are aa richt rolled, there's nae room for nae mistakes n A'll tell ye efter!" So A dis aa this. N then he says tae Bill Davidson "Tak aat sheep inaboot, there's nae room for nae mistakes, there's neen tae rin aff, jist tak them inaboot then ye'll tak them awa again withoot ony mistakes!"

Bill cams tae mi n says "Fits on e day?" I says "He widna be catchin's oot wid he e day?" So efter w waur aa throu he taks mi b' e han n pits mi efter e back n says "Stan there noo." Then he taks hud o Bill Davidson n dis e same til him, pits him efter e back tae stan at ma side, "Wait there a minute" he says. Then he cams back wi a stick n tells us aa fit e stick means, a hazel stick is for growth, e sheep's horn is for life n e thistle design on e horn means 'no one touches me for nothing'.

Efter yiv bin throu aa this n bin able tae prove aat ye can dae yer job yer noo ready tae be a flockmaster. Ay, if ye look efter yer sheep richt, dinna spile them b' gettin them ower fat like butterbaas, if they've got fine stained tails n sheetin horns ye seen get kent as a guid shepherd. Bit eyven then ye hiv tae be on yer guard, ye hiv tae waatch aat yer nae teen on b' a 'comb n brush' fairmer, he's a lad faa his gin doon e wrang road, he's mair interaisted in drink n wild weemin.

Ay, bein a guid shepherd means aat ye hiv tae be a guid judge o men asweel as sheep n if ye get in tow wi a comb n brush fairmer it widna dae your reputation ony guid.

Chapter Five

Rowantree – oor first place

SYNE I got marriet that summer, aat wis jist afore ma twenty-fourth birthday, on e sixth o June 1950 at Cornhill n w stayed at Dogshillock, ay w bade there for six months. Our son Neil he wis born in Aberchirder Hospital on the twentieth o September that same eer.

So efter that, ay, w bade there six months, then A gid hame till John Reid o Itlaw, Banff, w wis there for one n a haaf years – he wis needin a horseman. There wis ae mornin A sleepit in, noo in the aal days, as A've said afore, es wis a big disgrace, bit b' this time this kin o a tradition wis weerin oot. Bit it didna maitter John Reid he wis aye o the aal school, n so A met the boss himsel in the close, the ithers hid jist newly started their work, so I confessed – "A've sleepit in" A said till him. "Ah bit ye'll seen caatch up" he replies "an ye'll be o some eese noo that ye are up" he says. So aat wis a bit o a laach for the ither lads fin A met them in close. Ay, aat wis jist the kin o a reply ye wid get fae him.

Ay, A myn his ain sin, he sleepit in, in fac he seckit him in the hinner eyn, bit he hid sleepit in es day. Noo there wis es Wullie Wilson doon by the King Edward wye far they cam fae afore, he wis a damned good man bit he sometimes could sleep in, bit nivertheless aal Reid hid a great belief in him. So his sin says till him "Ah bit Wullie Wilson can files sleep in." "Ay" says his father "bit he o some eese fin he wis up."

He didna think his sin wis o muckle eese eyven fin he wis up!

Efter aat I thocht I wid try a grieve's job so A gid hame till es ither place. A hid been telt aat A hid made e wrang move, bit weel, A hid made e bargain n A could'na gyang back on ma word. It wis aa gey roch kin o lads aat es fairmer keepit bit, weel, weel, it wis an experience.

A jist hid tae see aat A kept ma reputation, ay, aat A did the beasts richt, lookit efter them richt n pit them tae the market in guid condition.

A jist bade there for five months then Cathie's mither she took ill at Dogshillock. Cathie wis afa sair needin aat w wid tak a place nearer han her mother so that she could gie her a help. So w gid back n bade at Dogshillock n in e meantime I said aat A wid tak on lambin n winterin n sheep shearin n dressin, ay, n ony ither job aat iver cam ma wye. Ach, A kent as mony folk aat A kent A wid niver be idle. A wisna gyaun tae work on e fairm at Dogshillock, oh A wid gie Leslie, ay Cathie's brither, A wid gie him a han if A wis slack at ony time, bit he could rin it onywye he likit. So weel, efter her death, ay Cathie's mother, w bade on here until Leslie took a wife an in the meantime I gid back till e flockin.

The first eer A did it for Alan Mowat, he bade doon in the howe at Pennan bit it wisna the best o success – A hid a helluva job gettin money fae him n a helluva job gettin money tae pay yer clients wi – es wis fair against my grain. So then Harry Milne he heard aat A wis back on e flockin so A gid back tae him. He hid already anither shepherd, a lad Massie, bit fin he kent I wis comin back no way wid he tak on onybody else.

So I wis at the fairm aside the Edingight Hill far A hid the flock on n there wis a lad there, weel he niver thocht aat a shepherd could dae ony ither work. So es day he says tae me "Come on then, get yersel scattered !"

He wis meanin aat A should ging n dae some work. I says tae Bill Bruce, the fairmer, that I wid richt like tae hae a go wi that boy some day. So it wid hae been the next day w got the loon, he wis a bittie eeseless kin, w got him tae waak roon e sheep, ay jist waak slowly roon e sheep tae mak sure they didna brak oot. A did this tae mak sure that I didna hae tae brak awa n spile the fun. So w went tae pull neeps es lad Baidge n m'sel, so w workit awa till denner time n I met in wi the fairmer n A says till him "Dinna say there's a lot o neeps fin ye come roon."

So fin he cam roon Baidge he says tae Bill "Ay, aat's a fair load o' neeps wiv pulled noo Bruce?" "God" says Bruce "I thocht there wid hiv been mair!" Es wis fit A telt him tae say. So efter wir denner he took aff his shirt n his semmit, min, es wis the month o November, n off he set sail. So A'm thinkin tae m'sel dammit es is the worst thing aat ever I did – I hid tae go like hell anaa! It didna maitter I niver gid past him I jist aye kept anent him, bit aye made oot as though I wis gyaun tae pass him. So jist the hinmaist twenty yards ar so I set oot n he could'na make it, he jist could'na keep up, I wis awa! So he wis forced tae admit aat he wis beat – n aat ended the 'get scattered' idea.

So next mornin he says tae mi "Fit like shepherd?" Foo wis A feelin? I says till him "Fit wye, fit wis adee like?" "Oh" he says " hell, I could hardly sit last nicht!" "God" says I "A'm feelin jist gran!"

Weel, efter a twa three eer, Cathie's brither Leslie he took a wife, so w decided aat es wid be a guid time tae look for a place o wir ain. Jist a mile ar so doon e road fae Dogshillock wis a placie caaed Rowantree, sixty-three acres, it belanged til a Jim Steven n he hid nae lang pit it on e market for sale.

Cathie n me decided aat w wid ging n hae a lookie at it which w did. Fin w got there Jim Steven he wis laired wi his tractor in a weet bit at e boddom o a park, "Ach" he says "A'm in e worst bittie jist noo bit its nae aa like es ye ken, its a guid wee placie."

So e Wife n me hid a guid look aroon n w likit fit w saa so w gid back til him n A said til him aat w waur interaisted, fit like a price wis he askin for it? "Oh" he said "Twa thoosand pound is fit A'm askin." Noo appearandly there wis anither chap interaisted n it wis King e Solicitor faa wis handlin e sale n he wis pushin es ither lad for anither five hunner pound. Weel, bit Jim Steven jist widna hae aat, he fancied e Wife n me, he wanted us tae get e place n aat's jist fit happened, ay, aat wis in 1959 fin w bocht Rowantree.

W did een ar twa jobbies aboot e place like takin doon aa the aal Nissan huts, they waur gettin a bittie warse o e weer, n then w remodelled e coort. W keepit some sooker coos, ay, w started aff wi fower n gid up tae twelve. W hid a guid fyow hens asweel, w bocht e day aal chuckens, Leghorns, n keepit them inabelow yon heatin lumps then w let them oot tae rin aboot. Fin they got their reed heids w pit them intil e deep litter shed. W did nae bad wi them, w eesed tae pit awa three cases o eggs ivery wik, aats ninety dizzen eggs.

John Webster hid e neeborin placie til's n nae lang efter we hid meeved in some o his beasts broke oot n gid intil ma hey. He cam til's maist afa upset n said he hid insurance for this kin o thing happenin, bit A jist telt him nae tae worry aboot it n aat I believed in give n take, so aat wis e wye aat w aye did things, w jist aye helpit een anither.

It wid hae been aboot es time aat A took
fairmers' lung. There hid been een ar twa gey weet
eers n of coorse aat disna help yer hey in ony wye,
some o't gets a bittie mouldy kin n fan yer wirkin
amangst it e dist n e styoo gets up yer nose n doon
yer throat asweel.

So es day A wis goin on wirkin n michty A
could hardly pit ae fit by e ither n A wis haein anafa
job gettin breath, A tells e wife fit A wis like n so she
got hud o e docter, a Dr McBain it wis, n fan he saa
fit A wis like he hid mi intil e hospital in Banff.

I wis e first patient aat he'd iver hid wi es
fairmer' lung. Noo it turned intil double pneumonia
n there wis a whilie far it wis a fifty fifty chunce aat A
wid survive, e first wik in e hospital A jist didna myn
onythin aboot ava.

Ten minutes oot o ivery oor A hid tae get
oxygen, ay, it wisna verra fine. Then becis A wis aas
weak A hid tae learn tae waak again, hooiver efter e
eyn o e second wik A wis beginnin tae feel a bittie
better.

Noo there wis ae nicht es nursie cam on duty
n A think it hid bin aboot e first time aat she hid
deen nicht duty. She wis tellin mi aboot aa fit she hid
tae dae durin e nicht n then she hid tae see aboot
makin e brakfast in e mornin, n she said she didna
ken if she wid manage tae get aathin deen in time.

Aweel, I says til her aat cam mornin if she gid
mi a han tae get tae e placie far she wid be makin e
brakfast A wid gie her a han, A could mak e toast as

46

lang as A hid a cheer tae sit doon on. Weel e lassie she wisna verra keen aboot es, she wis afa feart aat e Sister wid cam in n she wid get a tellin aff.

"Ach dinna worry aboot e Sister," A tells her, "she'll see aat A'm jist sittin there waatchin e toaster." Weel, b' jings did e Sister nae cam in, "What do you think you're doing?" she speirs at mi.

"Oh" I says "A'm jist gien e nursie a bit o a han, A'm jist waatchin e toast so aat she can get on wi ither jobbies".

Ah weel A think she could see aat A wisna daein m'sel ony hairm bit efter A hid feenished makin aa e toast she took mi b' e scruff o ma neck n mairched mi back til ma bed.

Noo aat nicht Cathie cams in tae see mi n she speirs at mi "Fit's es A'm hearin aboot ye, yiv been misbehavin hiv ye?" "Me misbehavin?" says I, "Na na, A only made e toast in e mornin tae gie e nursie a wee han."

Cathie lookit aat mi n retorted "weel I niver, yer nae in e wye o makin e toast at hame!"
Bit ye see, n Cathie kent es asweel, it wis important for me tae dae aat jobbie, oh A ken it wisna fit ye wid caa a job, bit for me tae be able tae deet let me ken aat A wis gettin better.

Weel, A wis in e hospital for a month n fin A got hame A wisna able tae dae very much, in fac for aboot three eers efter aat A hid tae fee a loon tae look efter e beasts n a lad Macdonald cam n attendit til e sheep.

Artesian flow from a Star Drilling borehole

Home-base: Rowantree

Man and van – with wife Cathie

Sheep at Rowantree

Bogmaster digger at work

How it's done: Neil and his divining rods

Chieftain at Aberchirder Games

Proud grandparents

Neil's dog Spot with pup

Testament to his curative powers

Chapter Six

Hillhead n sheep shearin

OWER the years A hid been buyin mair n mair beasts n A realised aat w could dae wi a fyow mair acres, then w heard that e place jist across e road fae Rowantree, Hillhead, it wis comin on the market, it wis aboot e same size as Rowantree, ay, aboot sixty acres. So A gid n spoke tae the banker n he advised mi tae gyang n see Harry Davidson jist tae see if there wis ony truth in fit w hid heard. Es wis so aat he kent if A wid need ony money if A wis likened tae buy. So A gid up n saa Harry Davidson n aa that he said wis 'yer offer will be appreciated'.

So a twa three days later doon he cam wi the price o the place n his valuations aa wrote oot on a ticket – I saa him comin ower the hill bit I didna think he wis makin for me, bit Neil wis plooin in the park up abeen so he stoppit him n says 'gie es til yer father n he can let me know if its of any use til him'.

49

So I went up tae see what he would say about it, now, he never did any dealings in the house in front of his wife n his faimily because he didna want aa his dealins broadcast aboot, he hid said tae mi as A gid in "When I rise up ye'll know tae follow!"

So that is fit happened – he raise up n I followed him – oot intil e byre. He hid decided aat it wis me aat he wanted tae buy e place if w agreed on a price. So I went up tae the banker again n let him see the price n the valuations n aat. He says "Oh, the valuations are a wee bit high." I says "They're pretty near n if A dinna accept them I micht lose the deal."

"Ah" says the banker "every hundred pounds counts!" Well I gid back tae Harry n telt him aat the banker wisna afa pleased wi some o the valuations bit he hid thocht that himsel ! So fit w did, w knockit aff a hundred pounds, there wis sheep eatin his turnips, so w knockit it aff n put it in as grazin. The banker wis happy wi that.

W did hae a wee bit o hassle ar w got the place paid because there wis an old ruin, East Woodside, it wis a little croft n the Title Deeds o't wis lost. Of coorse some fowk winnert fit the hiccup wis aat w couldna get goin, hooiver the Deeds were found n aathin wis okay.

There wis a good lot tae be deen til her fin w did get her, well it wis an iron reef aat wis on the hoose so w thocht at w wid maybe jist mak a shed o't, bit fin e mason wis takin a look at it they says tae mi aat there wis plenty hecht n aathin for it still

tae be a hoose. Weel, Neil wis there wi's fin e ma-
sons' said es, n as he wis coortin n thinkin aboot
gettin mairret, A says til him wid he bide up here if
he waur tae get mairret, oh ay, he says.

So wi him sayin aat w decided tae see aboot e
grants n turn her intil a hoose. W jist stripped her aa
back til a shell, did up some bits o the walls n built a
kitchen oot in the front o't. Then w hid tae dae the
road inaboot, it hid jist been a cairt track, so aat wis
aa deen n aat's far they bade, ay Neil n his wife, til
jist a twa three 'eer ago.

Then there wis bits o drainin aat hid tae be
deen, ay far they'd latten some rashes an aat in. Tae
gies a bit o run A decided tae cam through aboot
twelve fit back fae the burn side, there wis a bit
caaed the Kettle Pool n if there wis a lot o rain it
steed ful o waater, b' daein that A got rid o the
waater.
So it wis sheep n sheep shearin n waater n divinin
wis the things aat A set oot tae dae. A hid been daein
some divinin afore, bit this wis fan it took aff ye
micht say.

Ay, back fin A wis amang the sheep A did little
bitties tae the places A wid be at, if they hid a bad
drain or if there wis somethin wrang wi their well A
wid gie them a han, aat wis fan A started.

There wis lots o good times fin w waur oot at
e shearin. A myn there wis ae time, it wis a Sunday,
A hid met up wi Banks o Petrie n Allan o Tillycairn
so w ended up in the hotel in Lumsden. It turned oot

tae be a fair nicht, there wis a fair puckle drams on the go. Neil, he wis the driver so he hid tae remain sober – bit A think he got mair fun jist waatchin fit wis goin on. Weel, somebody hid teen in an accordion – anither lad he offered tae sing, he wisna the wye o singin bit he did aat nicht – n I offered tae dunce some. Ay, it turned oot jist a fair nicht.

So there wis es aal lad sittin n he wis aye haein anither dram n efter a whilie he raise up, he'd been needin tae gyang awa tae the toilet. Noo there wis a gless mirror on e back o the door aat he hid tae gang oot o, n of coorse he saa himsel in es mirror bit he wis as fou he didna ken it wis him, he thocht it wis somebody else aat wis comin in so he wis aye standin aside tae let the lad by, ay he did that for a fair while n w aa hid a guid laach at him.

Syne there wis lots o denner/dunces aat w gid til aye amang yer freens – fairmers n fowk like that, Flower Show dunces, Burns Suppers – aat wis usually in the hall at Aberchirder. There wis jist the seats roon the hall at that time n the women aa went tae one side n the menfowk aa went tae the ither side. Of coorse nooadays there's tables n cheers aa roon for ye tae sit n drink at – bit ay, there wis lots o good times.

Then Walker o Tillygrieg he cam tae see aboot needin mi tae shear his sheep – so A got a phonecall fae him n then A hid tae go n see him, ay tae get an interview tae see if I wid be the shearer. Well he decided it wis me aat he wis takin on, A think because A wis nearer his ain age group, so then he took mi tae see his sheep tae see if A wis pleased wi them, then tae see his shed.

Efter that A hid tae go up tae the hoose n hae lunch wi him, he said tae mi that the wye he chose me for e job wis that if I didna agree wi him I said so, it wis either yes or no wi me. Ay, w jist hut it aff fae a start, A jist got on wi the shearin n A aye describit til him fit like the standard o his wool wis.

Walker o Tillygrieg wis a man I wid hae said aat some fowk wid hae thocht aat he wisna the man aat he wis – he hid a bit o style in the wye he went aboot. Bit tae me I could see aat he hid a pride in his workers, if ye wis daein yer job richt he wid see aat you wis richt paid, n he wid niver let onybody awa fae the place hungry, he wis that sort o a fella.

The fairm o Tillygrieg wid hiv been, I suppose, aboot six hundred acres n hid sometimes near a couple o thousand sheep on't. Wi the shearin A jist got intil a routine, fowk wid jist phone mi up near the time n say 'ye're minin aboot ma sheep'? Ay, A knew they were dependin on me.

A jist workit it like a rota, n A learned at certain places, their sheep wis ready afore ither places, it wisna ony eese shearin sheep aat wisna ready, it wis hard on yer lads daein that.

The wither wis important asweel at shearin time – say, for example, aat A wis awa ower at Monymusk n the wither broke – Duncan o Jacobshall he might have phoned up tae the wife n said 'there's a gey dull cloud ower b' Monymusk bit I think it's gyaun tae be brighter this wye, I'll rushle in a puckle for him jist in case he canna get goin ower there'.

Ay, if w couldna get goin in ae place becis o the wither w jist meeved on til anither, A aye keepit a waatch on the wither, fit wye the clouds floated n far the clouds wis clearin fae, A jist got a feelin for it.

At Tillygrieg Walker wid often cam doon tae see foo w waur gettin on, maist o the lads fin they saa him comin their heids wid ging doon bit it didna worry me, I wid jist say good mornin til him n he wid say good mornin my friend back tae mi. The lads used tae tease mi aboot him, bit weel weel, it wis jist aa part o the fun.

There wis eence a debate got up atween the shepherds n wirsels – Andra, the ither shearer lad, he didna like the black-faced horns bit we didna like the idea o takin aff the horns. There wisna black-faced horns at Tillygrieg bit Andra jist didna like them so he wid try oot Arthur Walker thinkin aat he micht side wi him aboot it.

Hooiver Walker thocht that it would spoil their heritage by doin that – he said it would just be the same taking the horns off a Highland cow – it would spoil their heritage!

So there wis a lot o fun like that at ye got – it broke the monotony – speeshally for the lads ye hid rollin wool, ye hid tae hae something aat wis a bit o a highlight n stir up a bit o fun. If they were haein a hashed kin o time n a laugh got up it helpit them tae forget aat they were sae busy. W often got a laugh tee at the caatchers fin a sheep ran aff, or maybe fin somebody hid been cuttin a tup n he raise ontil his feet, ay, a lot o fun.

Shearin sheep wis hard kin o work, there wid have been three o's shearin alang wi twa catchers n anither twa rollin the fleeces intil the bag. The shepherd at the fairm wid be fillin the pens. Ye could hae a helluva sair day if ye landed wi a catcher aat aye shyed awa fae the bigger kin o sheep, which were usually the best eens for shearin, n keepit on gien ye smaer eens.

A ken in my later days some o them thocht they waur bein nice tae ye b' aye catchin the lichter eens, well sometimes they were the worst kin tae shear. Ay, w used tae hae a bit o a laugh aboot it becis A aye said aat A wis there tae clip aa shapes n sizes o sheep.

Ah weel, aat wis e wye w workit for a guid while then as the eers gid by changes in fairmin meent fewer fairm workers so there wis a bit o a shortage o labour fin shearin time cam roon. Es wis fan w purchased the trailer n aat did awa wi needin catchers, the sheep jist ran up a rise tae the shearin platform. Iver since then things changed at the shearin, the aal atmosphere melted n wore awa, mainly becis the lads aat wis up on e platform didna aye hear fit wis goin on roon aboot.

One important thing aat A aye hid tae mak

sure o wis tae organise ma boys tae be here, if it wis dry, n gettin awa at siven o clock – w hid wirsels trained tae dae that – I wis sittin at the back o the wheel at siven o clock efter makin sure aat aathin wis loaded in ower e back. My wife wid never pit oot a bill wi siven a.m. on it if w didna leave until ten past – it hid tae be jist richt.

It wis quite a profitable business – we charged so much per head for the shearin o the sheep. The catchers were paid jist sae much per hour bit they got travellin time fae the time they left here, that wis jist a bittie extra. They hid tae keep the shearers goin, ay, nae hae them standin waitin, aat wis how it workit. The shearers they hid tae set a standard, aye tidy roon the tails n the heids, so that eence the wool wis aff the sheep lookit tidy.

W maistly got on fine wi the fowk at the different places w gid back n fore til, there wis maybe the odd place far they waur niver ready for ye, well, that type o place A begun jist tae set them aside.

A myn ae place aat w gid til, there ae time fan w got a richt guid laach – Sandy Stephen o Eidiney. He hid some gey lads aat workit for him - ach, ye could say maybe a thochtie simple some o them waur. Weel es day, it wis a bittie damp kin n w couldna get goin wi the shearin, so w waur jist stannin aboot waitin for it tae dry up. So Sandy tells een o his lads, Wullie wis his name, "Wullie, gyang n plunt that pail o tatties."

Efter a whilie Wullie comes back n Sandy says

"well did ye manage?" "Ay" says Wullie "bit the soo jist ate them as I planted them!" "Fit wye did ye nae chase awa the soo?" speired Sandy. "Michty," said Wullie "Ye didna tell mi aat A hid tae chase e soo n plunt tatties asweel !"

A myn there wis es place aat w waur at far there wis es great big fat lad, ay he wis a fair size. Noo, for the catchin pen ye didna mak ower big a gate for fear o the sheep gettin oot bit es lad he wis aas big he wis aye jammin the gate. Weel I hid tae think o a wye o usin him in a different direction ye could say, so A telt him he wid mak a better job if he wis jist tae tak them up til e gate n let the ither twa tak them in n coup them up, well he wisna afa good at coupin them up onywye. So es wis fit wis deen, they jist opened the gate n grabbed the sheep fae him – of coorse he thocht he hid gotten aff easy – bit it wis the only wye aat A could handle him n nae offend him.

Noo the shearin usually started aboot late May, June n intil the first wik o July, then A hid the hey n then efter that the dressin o the sheep started, gettin them aa ready for the sales. Aat wis jist tidyin them up roon aboot the neck n ony roch snippits on the body. On the smaer places, if they hid a good shepherd, he wid dae the dressin himsel.

Noo A've said foo important it wis tae keep an eye on e wither at shearin time n ower e eers A jist got a feelin for it n ye ken it aa comes in wi ma water divinin asweel. Ye get a feelin o e land n e wither,

studyin e rainfall on e hills and e snow – fin e snow
melts ye see whaur e fresh water is, ay, A wis takin
aa this in even though A wisna divinin – A wis
studyin aa this aa e time.

Chapter Seven

Divinin n drainin

A WIS daein little bitties o divinin here n there n learnin n mynin things aa the time. At this time fairmin wis changin, for example folk were goin oot o hens n intil pigs, n fairms were gettin bigger – bigger courts, a bigger volume – so there wis a bigger demand for water. So that's far A wis in mair demand, for divinin n for drainage work.

No fin A'm divinin A usually use twa bitties o wire maybe aboot fifteen tae eighteen inches lang bent intil an "L" shape. The short bits are pit intil plastic or metal pipes so that they can turn aboot. A aye tak a guid look ower e grun far A'm gyaun tae be divinin afore A begin, then A start tae waak wi e rods held in front o mi. If A dinna happen tae hae ma wires wi mi A'll pul a forkit twig fae a broom bush ar somethin like that. This is e wye aat A find waater springs n waater veins n of coorse wells n drains asweel. If A'm lookin for waater, eence A find a spring, a waater source, A use an aal pocket watch on a chine. A hud it ower e spot, ay, ower e spot far ma rods hiv pinted til there bein waater, e watch starts tae furl n goin b' the number o turns n e speed aat it gings roon at A can tell foo far doon e waater is.

A started aff wi little wheel diggers bit syne as e years turned drier kin A went ontil the eens wi e tracks, ay, for daein e bigger holes. The first job w did usin e track digger wis for McGregor o Feith Hill – thirty-two feet – it wis still dust at eighteen feet so A got them tae lower mi doon intil the hole, A wis still convinced aat there wis water.

The fairmer b' this time wis gettin a bittie fed up n on the Friday he says 'it's takin a fair while', bit A think he wis thinkin mair aboot the cost. If A myn this job cost him aboot five hundred pounds which at that time wis a fair bit price bit aat's naethin compared tae the prices o the day. So the fairmer says aat w could dae anither yokin – anither fower oors – n aat wid be it.

So the lads wis drillin doon n een o the times she wis a bittie stiff tae come oot, bit fin she did, w could hear the waater splashin there. They jist hid tae get oot the last eleven feet n fin aat wis deen they got the well-ring fitted n then on the rest o the pipes, ay, she's been nae bother that een since that time.

Then A did a well for a fairmer jist ower the brae fae McGregor – anither thirty-two fit een. Now anither fairmer nae far fae this second een phones mi up n says 'Ay, its aricht aa es big bloody things aat yer taken in noo but will it nae tak awa my waater?' So I hid tae explain til him that the hing o the brae o the lad far w waur diggin wis ae wye, n far he wis, the hing wis the ither wye, so it widna affect his waater supply.

Bit it wis things like that at ye hid tae look oot for – ye hid tae mak sure aat fit ye wis daein didna touch somebody elses waater – ay, A wid hiv been very unpopular if A hid deen that!

A myn anither time A hid damaged ma fingers wi a grain auger ae hairst n there wis es Alan Taylor, he wis needin a dairy deen, so, becis ma fingers wis aa bandaged up, he hid gotten es ither lad tae dae some divinin for him. Noo far he hid telt them tae dig hid turned oot tae be a dry hole so Taylor wisna sair pleased aboot it n wis gettin mair n mair impatient.

So it wis aboot this time aat w met up at a Fairmers' Union Meetin n Taylor wis tellin mi aboot es ither lad n at he hid nae luck wi his divinin n he winnert if there wis onywye aat I could deet even though ma fingers wis aa bandaged up. Weel I jist didna ken, bit Neil, he wis jist e young loon n he hid started gyaun til e Young Fairmers, n he hid met in wi Harry Dunlop, ay, he wis wi the College n I wis quite friendly wi Harry. So he hid said tae Neil aat he hid been spikkin tae Alan Taylor fa hid been sayin aat foo he wis needin tae get goin wi his dairy n couldna. So Harry says tae Neil tae tell me aat he hid heard o a lad, anither diviner, fa hid pit a wee pipie in below the bandages n then pit his wire in there so that it jist touched his bare skin. Weel ye ken I tried it n it workit so A wis able tae get goin at Alan Taylor's.

Weel there wis a steen drain wi twa thoosan gallon comin oot doon at the end so w tried tae follow't up tae try n see far the source o't wis, so w did this n w dug doon bit w jist harnessed a thoosan gallon - far wis es ither thoosan gallon gyaun?

There wis jist a slight dip in the ground n the vein wis a bittie farrer along so A jist hid tae tap the ither bit n vee it doon, so that wis e start o veein veins tae get a bigger supply o waater like, n that een his niver been a problem.

Es wis fan A found oot that the further awa fae the vein aat A wis n could still feel the pull, es wis important. Ay, ye found the vein n syne ye walkit awa fae it, the rods wid pint back til't n the farrer awa aat ye got wi the rods aye pintin back that wis a stronger vein o waater.

So A aye lookit for that kin o veins so that A could vee them in fae baith sides.
A wis wi e winterin o some sheep at es place, n this day A wis gyaun tae shift them, n Stanley Smith he pints oot tae mi that there wis a bad spot in es park, ay a weet bit, n he says it wis neen better awa fae the drains. So I pulled a broom twig n gid ower the bit o grun, A wis able tae tell him that it wis nae eese diggin far the weet hole wis, it wis farrer back aat the waater wis comin up. Stanley, he says bit its dry there – I says it disna maitter, that's far the waater comin fae. So he dug there n that dried it up.

Es wis fan A started pittin in fit wis caaed sumpin holes – A wid ging in atween the drains n mark aa the coorse spots, the weet bits. Then A wid dig doon past the drain n pit in a bit o plastic pipe n tak it up, jist like an overflow fae a well, n intil the drain.

Then they started a grant for daein roch bits o grun, ivery sma roch bittie they wanted drained n made productive. Weel there wis a bit here aat A decided tae drain so A got es lad in wi a track plooin machine tae turn it ower. It cowpit a fair sized furr, aboot a yaird width – bit w laired her ae wikeyn, wi it bein safter kin on the top she began tae dig in. So w tried tae get her oot wi a tractor n a winch bit that wisna workin so w got anither een n b' diggin oot a bit in front o her w got her winched up the bank n oot. Ay, the lad aye mins aboot that wikeyn - it wis a helluva weet een!

There wis ae time Neil wis up visitin at Mrs Gordon's in the Black Isle far Jimmy Simpson went as manager, n there wis a park that he hid been drainin some at b' himsel, ay fin he new gid there. Bit there wis this ither park he'd been feart tae tackle n sae wis Mrs Gordon – it wis caaed the quagmire park – n it hid aye been a bad een.

So they hid been up lookin at it n Neil says "God, its nae me aat could tell ye, its ma father." So I got a shout tae come up n see fit they micht be able tae dae, apparently the Department didna want tae gie them a grant for it because it hid been done badly twice afore.

One o the times it hid been daen, n I suspect aat wi her bein the woman fairmer, it hid been daen wi plastic pipes n nae pit deep enough, only eighteen

inches in some bits, then fin they cam on wi the trac-
tors the pipes, they hid aa gin flat.

So I gid up n lookit at their park n I says
"Damn't, its yer neighbour aat should be drainin." Ay,
tae mak a richt job o't if he wis tae drain his grun w wid
easy manage tae drain this een. The wye the grun wis
lyin, in a richt weet time, es park wid aye
be worse, n e best wye tae dae't is tae ging richt up the
mairch n share the drainin there.

I gid up tae see this neighbour bit he wis a bit
unwillin, weel it wisna much o a problem tae him, so I
says til him "Ye ken the lad doon below is peyin his
share n if ee dinna drain this bit o yours div ye ken fit
A'm gyaun tae tell ye? A'm gyaun tae tell ye that ye
widna be a very good neighbour"! "Oh" says e lad "I
certainly widna like tae be classed as that." So the
drainin wis done!

Weel, fowk began tae get interaisted in me n ma
divinin n aboot es time trainin boards cam in tae bein,
es wis fan the grants wis bein cut back a bit, fin the
grants wis really goin some o the contractor lads didna
like tae hear aboot me – they thocht that I wis reducin
their work. Bit my method wis that if A deet the skel-
eton wye n manage tae dry a field like that, the fairmer
he'll maybe dae anither field, bit if aat een disna turn
oot richt n ower expensive they're nae gyaun tae waste
their money, bit if they can see aat yer near dryin two
parks for the price o one, they'll maybe go.

So the trainin boards began tae get interaisted in
fit I wis daein. The first een wis held up at Crudie, ach,

A thocht it wid be a gey dry affair, ay, divinin tae some, bit it turned oot pretty interaistin, in fac A wid say that the lad that wis organisin the trainin board wis the least interaisted. There wis aboot nine attended, fairmers n young lads aat wis attendin the college.

Then w did een at Banff, the idea wis tae show far tae mak a new well n stuff like that. Then w did anither een here, ay, at Rowantree, A let them see far A hid drained the bog – ay, jist doon below there – w hid made bits far they could see far the waater could rin intil a drain wi a sump-hole ower the side. W did that wi a Bogmaster, aat wis tae show some o the fairmers aat wis wintin tae drain fit the idea o't wis.

Becis A hid deen some work up by the Black Isle A got a shout tae dae een at Culbokie. Es day, instead o eesin the wires, I hid pul't a puckle twigs n I remember ae lad, he wis a big stout lad, he hid a thin kin o een n he wis feart he wid brak it – I could read his mind n he wis conscious o that. He wis weighin up es ither lad fa hid a thicker een, bit oh, he wisna makin onythin o't, es ither lad, so the stout lad he took the thicker twig n he wis fair hingin intil her. I jist left him til't, he wis mair carriet awa wi't, I wis gettin a bit o entertainment wi them daein it their sels bit ye jist hid tae let them get goin, n nae break them sort o style.

A gid them a fylie o that n then got them tae dae ither bits, learnin them tae look for drains n stuff like that. Ah well es lad wis still goin on wi the thicker twig, ye hid tae gie't a fair grip bein thicker n his wrists wis sair. So at the end it wis him aat hid tae gie the vote o thanks n fin he cam tae the lad far the demonstration hid been held he says "I'll know" he says " if I take a wee bottle o whisky with me I'll know if you've whisky in the house but I'll tell you the brand after."

So I saw him at the Black Isle Show a wee while efter n I says til him "Wis ee tired next day?" W hid workit as muckle his hans were aa fired wi grippin the twig sae hard n he wis as carriet awa, so he winnert fit wye A knew he'd been tired. Bit ay, he his daen een ar twa jobs since then.

A lot o fowk couldna do it at all so fit I wid dae I wid pit ma hans on the back o their hans as they held the twig n this let them get the feelin o't but then by next day it wid be gone again.

So there wis this ither demonstration o drainin at the Black Isle. W hid tae ging oot early in the mornin tae dae aa this bits – how I hid arrived at that situation, how I wis gyaun tae drain that – it wis a trenchin kin o a drainer aat wis gyaun tae be daein it. So ower comes es three lads, twa o them A kent, n es ither big stout lad.

Now es ither lad I wis weighin him up as he cam inaboot, in fac A hid started weighin him up fin he wis still a lang wye frae mi. A jist hid a feelin aboot him n A says tae m'sel es is a lad aat's gyaun tae gie mi hassle, A jist kent aat A wis gyaun tae get problems wi him. He wis a big contractor lad n he wisna in favour o what I was doin, he thought I was cuttin doon, ay, reducin the work aat he did. A wid say he wis wintin tae show me up a bit in front o the Department lads fa wis there, Johnnie Dingwall n a fyow ither lads, some o them aat A didna know. So he says fit aboot pittin on a blindfold on tae mi?

"Well" I said "I've never daen't wi a blindfold but I can try." So I did n they furled me aboot n then I gid doon e park - A felt the wires bit A couldna seen them - A could feel them furlin in ma hans. Bit what a sensation that hid – well ye wid be usin yer eyesicht n aathin – ay, A wid niver dae it again, it wis a coorse kin o a feelin.

Well, I wid say bein blindfolded n daein it ye wis counteractin the wye aat it worked, A wis shut aff fae fit A wis daein, ay, it wisna a fine feelin. Bit Johnnie Dingwall he hid seen it wis haein an effect on mi so he jist nippit aff the blindfold n he said "yer back at the spot aat ye hid said for a start."

Weel, weel, so es lad he fair thocht aat he wis smart – I wid say tae dig a sump hole here n he wid say tae dig it ower there becis it didna maitter – so in the end I says "I'll tak ye aa tae the tap o the hill n show ye how I go about it n ye can use yer judgement yersels!"

So we went right to the top o the hill n I wis tellin them aboot the contours o the land n how the ground wis set inta ither n foo A judge along that lines, n efter I hid said aa that, n they hid been listenin tae aa this, es lad, ay the een aat hid been gien mi hassle, he says "ach, if w gid doon tae the side o that bank there n dug a hole haaf doon the brae it wid dae as muckle good!"

Weel, I'd hid eneuch ar this time, ay, A wis jist beginnin tae get a thochtie kittle at him, so I says til him "Right, you're tryin tae spik college talk in front o aa that boys there, bit I've nae college trainin n A'm nae tryin tae bluff naebody, A'm gyaun tae tell ye its common sense aat A'm tryin tae jist spikk – ee are tryin tae come the College stuff tae me bit it jist winna wark!"

Ay, A hiv tae say aat A wis a wee thochtie roosed wi him, so then A said til him "A'll be fair wi ye, A'll tak ye oot tae the places far you've been n you can ask e fairmers whit results you've given them, then A'll tak ye oot tae places aat A've been aat n you can ask e fairmers fit results A hid gien them, then w can compare results n w'll see faa's winnin." Aat jist ended it, ay, A could see a smile gyang ower some o the ither lads faces, n ye ken, he niver did tak mi up on ma offer!

Ah weel, so w wis aa waakin back doon e hill n e trencher machine wis makin its wye up n I gets a tap on ma back n es wis es Johnnie Dingwall n he says tae mi "ye don't know who I am but I'm the Department lad," n he goes on "bit dinna get mi wrong because we are gettin results with you."

He hid been oot aat some o the jobs aat I hid deen bit A'd niver happened tae bump intil him. So he says "Fit div ye think o that thing?" noddin at the trencher. "Oh" I says "unknown tae you I hid a gweed look at it fin they waur diggin the trench afore the demonstration n she wis jist aboot ruggit in twa." I says "Mair than likely she hid been wirkin across e veins n es wis makin her shudder bit fan she wis followin the vein, ay gyaun wi e waater, ye can see her glidin, the machine's pullin hersel n it disna hae that jumpin effect.

If yer nae goin wi the waater n its hard, she's shudderin, n fin aat happens e pipe aat yer pittin in will be up n doon." Johnnie Dingwall, he lookit at mi n he says "do you see that lad who was giving you bother, well, we probit his drains an that's exactly what was wrong!" Weel, fin he said that, that jist fair made ma day!

A wis doon at Forglen there n es lad he wis tryin wi es jumper drill bit he wisna makin ony impression tae get a bulk o waater, so Wilkie, he wis e manager on e fairm there, he said tae mi that he wid get es Kenny McKay tae drill the hole, fit did A think o that? "Well" I says, "if Allathan's willin tae let's try I'll dae it." So Kenny McKay he comes n he drilled the holes. So he wis jist sittin on e bank waatchin n he got interaisted in fit A wis daein, ay, es divinin, n he says "God, Neil, if we got oor act igither we could mak a bit o a go o this, ay, fin wir nae in the Quarry."

So that's fit w did. W did a job at Jack Allan's then w gid ower tae Ian Gill n did a job for him n w says tae Ian "Fit like ye think o that?" "God," he says "aat's as good as sliced loaf", ay, fan he got the waater like! Fair chuffed aboot it Kenny did es drillin in his spare time.

It wis jist efter this fan the wind started tae get hard in ma face, ay, sadness wis on the horizon, September 1987.

Chapter Eight

A sad and soor time

THE first signs aat there wis something wrang wi Cathie ma Wife wis aat she started aat she didna like it fin A gid awa, she aye likit tae be at my side, she couldna help it, she kent she wis daein that bit she jist couldna help it. I didna ken fit wis wrang, A thocht she wis maybe a bittie lonely kin wi e dother bein marriet n awa. If A wis gyaun awa she wid speir 'foo lang wid A be ar A be back?', she didna like tae be left aleen. Often fin aat happened A wid jist say til her "Ach, jist jump in ower the ither side n cam wi's, A'm gyaun tae sic n sic's sheep." So A wid hav jist made e pint o takin her wi's n she wid jist sit n wait ar A cam back. A wid niver ging ower far awa fae her, somethin niver lat mi ging ower far ar be ower lang awa fae her, for her gettin excited. She wis mair concerned aboot me in case somethin come ower me than she wis aboot hersel. Syne there wis a swellin formed on her foreheid n she got pills for that bit they didna know what it was, bit weel, weel, it disappeared. Then she wid be sittin in the chair n she said that she hid a sair kin o a heid n jist sleepy like, ay, A micht be sittin on the sofa n she wid hav risen up n jist sitten doon aside mi n then jist fall asleep again.

So I said til her tae go in n see fit wis wrang so she that n fit they thocht it wis wis a sinus problem, so they put her ontil a coorse o something for that. Ah weel, through the nicht ae nicht efter she hid finished es coorse, A think she hid been aff them for aboot twa nichts, so es nicht she waukened mi up and she told mi that she hid a horrible feelin that she could die.

Then she gid on tae say that she wis lookin forward tae haein a little celebration, A hid ran the clippin contractin for forty two eer, n efter w got marriet she hid aye deen the writin o the books, ay, the book-keepin, n aa she wis needin wis for somebody tae play the Rowan Tree til her.

So my reply wis "Well, if yer as bad's aat n nae gyaun tae get better I'll see that ye'll get yer Rowan Tree." Ay, I promised her that. Her reply wis that she hoped they widna forget tae dae the same for me. Well, I'd often shed a tear ye ken n she aye said nae for me tae hurt m'sel aboot it, well es day I wis doon in the kitchen, n ay, A wis sheddin a tear, n it wis jist like a voice sayin tae mi 'wipe those tears away', which A did !

A eesed tae grip ma teeth igither n sort m'sel oot, n ye ken A felt there wis strength comin frae some- where else in me n God wis helpin me tae build up ma faith. If I gid up the stair tae the bedroom I hidna tae show ma emotions in front o her, A hid tae show that A wis strong, n fin A did that she wis happy, if she hid thocht that I wis weakenin that wid hav weakened her.

On e Saturday mornin A phoned the doctor n he said just to take her in – "No," says I, "A'm askin you tae cam oot." So the doctor comes oot n goes upstairs tae the bedroom. In a wee whilie doon he comes n he says tae mi "You've paniced!" "Well" I says "that's your opinion, myns different, in my opinion she's far fae richt."

So his reply tae this wis that if that wis my opinion she hid better see a specialist n I said "Ay, the sooner the better."
So afore she wid see the specialist she hid tae hae a bath n she widna hear o onybody else helpin her, it jist hid tae be me.

So es day A hid her oot ower the bath n I wis dryin her n A dinna ken if it wis some kin o a shock ar a stroke aat she hid or if she wis jist gyaun tae slip awa among ma fingers, A dinna ken fit it wis, her tongue, ay her wirds waur aa slurred like. Bit weel, A jist dried awa at her until A got fairly dry then A githered her up in ma airms n took her back til her bed.

A gid n phoned e doctor n A telt him fit hid happened, "Oh" says the doctor "it could have been the warm water in the bath had caused this to happen," ay, aat wis his reply.

So efter aboot ten days A took her intil e hospital bit they jist said that things didna fit intil

73

place bit that they didna think there wis much wrang, bit in anither wik tae ten days they wid hae her in again. Well, I wisna very happy wi es, n I says tae them, "wi the hot water in the bath n ae thing ar the ither, ay, the doctor sayin it wis jist the hot water, bit tae me there wis something else far wrong. It jist winna convince me it wis the water in the bath, it hid tae be something else!"

So the followin day the specialist phoned oot n said tae hae her in before two o'clock that day so that she wis bedded and ready for them tae examine her, so w did that. She got hame for the wikeyn n it wis at es time aat Kathleen wir dother gave birth til her second son, Steven, ower in Huntly.

Cathie winted up tae see Kathleen n her new baby, I hid a fylies wirkin wi her here at hame afore w made e journey, coaxin her until she got hersel steady n calm. Weel, bit she wis quite stable fin she wis there, she didna spik a lot bit she fair enjoyed seein e new member o e faimily. Ay, she did nae bad – it wis good aat w managed tae get that wee journey deen.

A took her back intil e hospital again on the Monday n she got the lumber puncture deen n then ower the next three days she got tests for es n tests for aat bit naethin showed, they couldna find onythin wrang. Durin es time A said tae Neil ae nicht as A gid oot o the door tae ging in n see her aat she hid hid a helluva time that foreneen bit gin e efterneen she wis a bittie easier, A dinna ken if they hid gien her some pills ar fit bit she wis a bit steadier in e efterneen.

So A walkit doon e corridor aat nicht n as I wis jist anent the door til her room I jist got a glimpse o her afore she she recognised I wis sae near at han. She wis a kin o on her knees, she wis rale weak, n it wis jist like God hid pit up a finger tae stop – Councillor Gordon's wife fae aside Cuminestown wis wi her n she says "now Cathie, yer hair could dae wi a tidy," – she hid spotted me ootside e door.

So Cathie pickit up her comb n she wis jist takin it through her hair n she must have sensed aat my presence wis pretty near because her heid jist slowly cam roon lookin e wye o the door, n fin I saa her heid comin roon I jist walkit on as though I hid jist arrived.

At this time I saw that she wisna eatin richt, I noticed on the Sunday nicht aat some o the solids she didna eat, she wid jist brush them aside. So I gid tae the Sister n telt her n A said aat she wid weaken if she didna eat. The Sister said there wis naethin that she could dae becis the Specialist lad happened tae be aff, ay, he'd a lang wikeyn. They hid gotten some pills tae pit aneth her tongue, they'd been thinkin it wis some ither thing if she wis bein sick, bit they were causin mair sickness, they were upsettin her. Then aat Monday I hid a divinin job tae dae near Aiberdeen, es lad hid been shoutin for mi bit of coorse he didna ken the fix aat A wis in, hooiver I took ma good clothes wi mi n A changed in his steadin. This let mi get off intae Aiberdeen on the quick side n A could see aat the same thing wis happenin, she wisna eatin her solids. I complained again n again the Sister jist said the same thing aat there wis naethin aat she could dae. Bit then on the Tuesday Cathie got a throat scan n then when I went in on the Wednesday they hid a tubie doon her throat n they were feedin her aat wye.

Ah weel, at the eyn o that ten days they called me in n the Specialist explained tae mi aa aboot the tests aat they hid deen n then he called it by a funny name, I canna myn fit. Bit I said til him "it widna be cancer wid it?" "Yes" he said.

It wis decided aat she wid need anither lumber puncture n on e Sunday afore she got it she says tae me "Oh, I've got a horrible feelin," she says, "n the only thing aat's goin tae tak mi oot o here is your divinin powers!"

She wis noo beginnin tae panic at fitiver they were gyaun tae dae til her, n asweel, she wis worried aat she wisna gyaun tae be oot for Christmas, she hid an afa longin tae be oot for Christmas n be wi the bairns, ye ken tae gie them their presents n aa that, ay, she wis beginnin tae get a bittie doon at this.

So on the Monday she got this ither lumber puncture n I phoned in tae see fit she wis like efter it hid been deen, "Oh" says the Sister "she's pretty weak." I decided that A wid ging in efter makin sure aat she wisna gyaun tae hae ony mair tests aat day. The Sister hid seen e Specialist n he hid telt her tae tell mi aat fin A cam in nae tae ging tae Cathie's room bit tae ging tae the desk n ask for him.

Afore A set aff I said tae Neil's wife "Ye'd better come in wi's because A'm nae expectin good news," n wi her bein a nurse she micht min some o the things aat they micht say n I widna understand fit wis meant. So she cam in wi's n w saa the Specialist n he jist said aat there wis naethin mair aat could be deen for her, nae operation, nae treatment, naethin.

It wisna afa guid news tae get eyven tho A wis a kinna expectin it. So A says til him "weel, seein there's naethin aat ye can dae for her, can A get her hame?" "Oh, I don't see why not," he says "but she'll have to be briefed before you take her home." "Ah weel," says I, "A'll brief her m'sel, she'll tak it far better fae me than onybody else tellin her."

Weel, Cathie cam hame jist aboot a wik afore Christmas n on Christmas Day fan e faimily wis aa there she managed doon e stairs for aboot an hour. She wis able tae dae fit she hid winted tae dae, gie oot e presents til e grandchildren. Wir aal minister, the Reverend Walker, cam in aat day tae see her asweel, he wis a great favourite o Cathie's, it wis him aat baptised wir dother Kathleen n her's wis the last mairrage that he did.

Ower the next twa three wiks she got weaker n weaker n then on the twenty-seventh o January she passed away.

She got a splendid send off wi a grand crowd o freens n relations githerin in e kirk at Aberchirder tae say their farewells, the Reverend Walker n the Reverend Jones conducted the service afore w took her til her final resting place at e Kirkyard at Marnoch.

Chapter Nine

Waater n whisky

THE Glengarioch Distillery in Oldmeldrum wis rinnin a bittie short o waater so A wis called in tae see if A could help them. It wis a Friday aat A wis there n efter meetin wi e director n e under manager A gid oot n took a waak throu e parks wi ma divinin rods.

As A wis daein es A met a lad fa speirs at mi "Fit are ye daein?" "A'm lookin for waater" says I. "Oh" says e lad, "there's nae eneuch waater here tae dae a moose!"

Ah weel A wirkit awa n hid pit in aboot twenty two pegs, so then A got hud o the director lad n e under manager again n took them tae the side o the park n telt them fit A'd deen n fit A'd found. The director says "Well, what is the first move then, what do you suggest?" I says "I"ll tak in the quarry drill n bore some holes tae see fit the waater level cams til, bit foo mony holes will A bore?" The director retorted gey sharp like "the lot!"

So on the Monday w started drillin the first o the twenty two holes, on the Tuesday the digger cam in n w started at ae side o the park tae dig oot e tracks n pit in e pipes. W sunk a well in e corner o the park asweel. The overflow fae es well w jist let it rin intil e burn until it wis rinnin clean, then w piped it til the holdin tank, here w were gettin a flow o waater aat filled a three gallon pail in nine seconds!

Then w gid ower til e ither side o the park, the waater wis slightly deeper doon here bit there wis an incline on the brae there. So fin w wis diggin up the brae-face w tried tae hit it on the line far A thocht the vein wis n fin w saa the bore hole drap A kent there wis nae need tae ging the linth o the bore hole.

So efter aa the pipes wis in n aa linkit up aboot twenty days later mair than twenty-four thousand gallons o waater wis gyaun through the Distillery bringin it up til ful capacity.

The directors o the Glengarioch waur fair delighted wi fit A hid deen, in fac, aas pleased aat the fee A hid asked for they doubled it, ay, n they gid me a bottle o their whisky aa deen up in a bonnie widden case asweel.

Syne the dairy manager, John Duncan, fae Middleton o Rora, Longside, aat's near Peterheid, he got mi tae come tae find mair waater for the dairy n seven hooses. W drilled three holes wi the quarry drill n w got a vein n then sunk a new well straight intil the hillside.

Then A gid til e Macduff Distillery, there wis a lad there, ach, he caaed himsel the chief engineer, he asked if A wid cam n divine for them. Weel, I normally hae ma ain lads fa A ken will mak a richt job o the drillin bit es chief engineer a kinna insisted aat es lad aat he hid helpit mi, "Ye'll hae nae problems wi es lad," he said.

Weel, he wis naethin bit jist a problem so I says tae the manager that this widna dae me ony guid n it widna dae them ony guid either.

"Oh" he says "dinna worry w'll easy sort aat oot."

So w got the drill in again n w drilled doon, bit w hit salt at fifty feet, far w hid drilled there hid been an undertide, so that hid tae be abandoned. Then w lookit at a spot on top o the hill aat wis in a neighbour's park, bit es neighbour wis needin a waater troch pit in. The directors o the Distillery thocht there micht be a danger that he could be rinnin a lot o waater n his beasts drinkin a lot, so they decided tae scrap that idea, it wis a kinna left like aat for e rest o aat eer.

So the manager, Michael Roy, he come back the followin eer, n he says "Neil, will ye come back n hae anither look aroon n see fit ye can find n then w'll hae a word wi ye again tae see fit wid be best thing tae dae?"

It wis aboot es time aat I'd got a shottie o a big waater drill, so A took it in n A gid a bit farrer back fae far w hid drilled last eer, ay, far w'd hit the salt.

W gid doon aboot a hunner feet n w did hit plenty waater, there wis sixteen hunner gallons an hour aat the pump wis pumpin oot, ay, aat wis oot o a nine inch hole. Fit A learned here wis aboot e samplin o the waater, the first sample w hid teen ower quick bit efter w hid let it rin for thirty six oors the neist sample wis aricht, nae problem wi't.

It wis a local lad, a John Banks, aat hid got es big drill. He thocht there wid be plenty wirk for it atween e fairmin side n wi es new ile business gettin bigger n bigger. A hiv tae say aat I wis a bittie mair sceptical aboot it becis e fairmers at that time wis thinkin aat it wis too costly against the quarry drill, bit weel, weel, there wis room for them baith.

So fae aboot es time it jist seemed tae snow-ball, dairies, fairms, estates, ay, jist aathin fae aa roon aboot, n it wis aa b' wird o moo, there wis nae advertisin ar onythin like aat, jist wird o moo.

Anither jobbie aat A did wis up at Buckie at Cruickshank's Lemonade – they'd hid a lad in fa hid drilled bit he hidna deen his liners richt n so he'd lost the pump n aathin doon e hole.

So they got es big drill in bit only on the con-dition aat I hid tae be there tae supervise fin they drilled e holes n mak sure aat aathin wis deen richt – so w got that jobbie deen.

N jist at this time w got wird aat w hid tae ging ower tae Orkney so I jist left ma car at Buckie n es John Banks, e owner o e big drill, drove's up til Scrabster, n w gid across b' the ferry fae there. Then

w hid tae cross ontil Rousay til this fish fairm, it wis
a lad Bruce aat hid it, n for me tae dae some divinin.

Noo I hid heard aat the Skipper o the boat aat
wis takin us ower tae Rousay could divine some
asweel n so I says I widna like tae come up n trump
on onybody else's taes like that, bit no, no, the wird
wis aat I jist hid tae go.

So w wis on wir wye ower on e boat, it wis
aboot a twenty minute sail tae get ontil Rousay, so
the Skipper says "I'll mak's a cup o coffee" – so the
cups wis aa set oot n e kettle wis bilt – bit he wis as
interaisted in newsin n spikkin aboot es divinin aat
he forgot tae mak e coffee!

Weel, w got intil e harbour n John Banks, he
wis a comical kin o a lad, he says til e Skipper
"Thanks for yer coffee." "Ah well, well", says the
Skipper, "the kettle will boil again tomorrow!"

Noo, gin e time w got there it wis gettin dark,
"Och, bit w'll manage wi a flashie" wis fit I wis telt. I
says til e Skipper "God, they dinna ken fit they're
spikkin aboot!"

"Ah well" say he "I dinna ken fit yer gyaun tae
dae either."

Hooiver, w jist made straight for the fish fairm
place, it certainly comes doon dark afa quick up
there. I wis needin tae get the line o een o the main
veins an A kent b' the lie o the grun aat it wisna far
fae e back o their hatchery. A wannert aboot in e
park at e back o the hatchery n then comin back
doon A telt John Banks tae tak his motor up til far

there wis a kin o a crossroads n shine his car lichts doon across e park. Then I wid guide him, ay A wid tell him far tae waak til, fit ye caa in dowsin – ye waak e line.

Noo John Banks, he's a great tall lad, ye ken, n wi it bein in the lamp licht ye wid hiv thocht aat he wis even bigger still ! They pit on the fish licht asweel n A could see fae there, he wis jist like a mark in e park, he hid tae stan in that certain position so that I could gyang roon jist like a fan n tak in every vein tae see if it wis comin in at that angle n then w markit every spot. Fin w wis finished A said tae them aat A wid like tae see it in daylicht jist tae mak sure there wis nae hingin awa grun far A could lose a lot o the waater. It wis aricht bit it's aye better checkin ye ken!

So fin A wis there A saa the wye aat they did wi the fish, ay, strippin them. They showed us foo they pit some kin o stuff intil e waater n es a kinna knocks them quaet for a mintie n es lets them strip e cods intil containers. In fac they gid mi a film o aa this bein deen, it really wis very interaistin.

Then w hid tae ging ower tae Wyre tae see if A could divine a bittie there bit e nicht afore w did this w aa gid tae the bar for a dram n a news wi some o the fowk. The Skipper lad he hid a bit o a drink problem bit ach, he wis a jolly lad, naebody said naethin wrang aboot him, he wis afa decent til aa the fowk.

He kent himsel, ay, he telt mi himsel aat he

hid a problem bit he jist said nae tae tak ony notice o him. He wid jist tak his dram n fin his gless wis teem he wid gie it a tap n it wis filled up. Aat wis jist e wye he wirkit, he niver annoyed onybody, bit three times A saa him daein aat, ay, gien his gless a tap n gettin it filled up.

So neist day, afore w wid ging ower tae Wyre, w gid up tae check the Hatchery. The Skipper wis there asweel as A did ma roons, jist checkin aathin wi ma rods, n he wis haein a shottie ana. A showed him the waatch furlin asweel n aabody aat wis there thocht it wis afa hilarious!

That divinin jobbie turned oot good, A think it wis producin forty gallons a minute bit it wis drilled til three hunner feet. W hit methane gas here bit eence it hid run for a while it cam okay, bit ay, they did think aat it wid need a filteration kin o thing tae fan oot e gas, bit weel, weel, aat wisna needed. Noo es waater wis eight degrees warmer n aat gars the salmon eggs hatch quicker.

Weel there wis a great write-up in e Orkney papers aa aboot es, n so atween it n e write-up aat wis deen aboot the een at Oldmeldrum, ay, the Glengarioch een, aat spread the wird aboot mi a bittie farrer.

Asweel as e lad fae e Hatchery there wis some o e fairmers wis needin mi tae dae some divinin for them, they waur needin a bit mair waater. It wis an afa coorse day fin w got there, it wis fair poorin, bit e fisher lads hid mi aa fitted oot wi ileskins. Afore A

wid start een o them says "Are ye comin in for a
coffee?" "Oh ay" says John Banks "W can easy come
in for a coffee."

Hooiver, the Skipper, he says "We're a wee
bittie rushed ye ken." The fairmer lad says "Maybe a
dram wid be better wid it?" "Well" says the Skipper
"it would be quicker n it would go down quicker!"
So aat wis fit happened, w hid a dram.

There wis an English couple there fa hid asked
mi tae divine for them tae see if A could find oot fit
wis wrang wi their well n tae see if they wid hae tae
shift it. So es lad says tae mi "Can you take a dram?"
"Oh ay" says I "bit ye ken A've jist hid a dram jist up
the road there n A'm nae sikkin tae be stottin aboot
on yer island."

N efter haein a dram ar twa e nicht afore A
thocht A wid be best tae go easy so A says tae the lad
"nae ower big a een for me." "Ah well, well," says e
Skipper "when you come round to me you can be a
wee bittie heavier handed n that will jist balance it
out!"

Now the Skipper, he hid a relation here, an
aul auntie, n he winted her tae see the waatch goin,
bit afore A did that she gid for a necklace, she winted
tae see if it wid wirk. It wirkit aricht, in fac it snappit
fin it got up tae speed! So e Skipper hid tae hae
anither dram here afore he cam awa!

W got doon til e harbour for e boat n he wis in
the hotel haein anither dram n I says "W winna hae
tae be ower lang." "Oh" he says "this is a special

mission that I'm on the day!" A hiv tae pint oot aat there wis anither lad in charge o the boat that day! So w gid across tae Wyre n A markit three spots there, well, it wis gettin gloamin n John Banks didna notice fit wye A hid gin on e bittie o hill. Wyre wis supposed tae be rale dry o waater bit efter A hid deen e divinin the Council cam across wi their drill n drilled it far A hid markit it, n they got waater. A hiv tae say A wis rale pleased aat they did get it.

Then it wis back doon tae the Moray Firth Maltins, ay, fin they saa aat A hid got waater for Cruickshanks Lemonade they thocht aat they maun try oot e lad asweel !

Fin they built e place there hid been a geolo-gist lad hid cam up n said there wis nae waater in that site. So A gid inaboot, bit they didna say much aboot it, they jist said they were short kin o waater, the under-manager said he didna think there wid be a great supply.

They hid a bittie o grun tae wirk on, so A think there wis fower, no five, it wis five spots aat A markit n w used three o them, twa o them wis wirkin in par, ay wirkin igither.

The first wik, oot o the three, there wis seven thousand gallons an hour bit then she levelled hersel aff tae five thousand, syne it fluctuated up n doon efter aat. A dinna ken if there hid been something else farrer back the line, ay, aat hid been tapped intil e line farrer back aat garred her drap – w tested the pipes bit there wis naethin tae be seen.

Noo A hid tae dae the same job here as A hid deen at MacDuff – A hid tae supervise. At the well-heid w pit in a well-ring n cemented e boddom n plugged up e holes tae mak sure aat nae mice or onythin like aat could come up, so I wis responsible tae see aat the contractors did that aricht.

So as w waur diggin een o the holes a bit hid started tae leak, oot o the rock farrer up, so A cut a little hole in the tap o the well-ring n pit on a bit o gauze tae stop ony little steens gettin in. Then A took it oot solid until w got ontil the rock n w sunk a well-ring there n then pit oot twa spurs jist like a vee oot intil this rocky bit far the waater hid started comin oot. So fin aat wis deen it pit it up anither three hundred and fifty gallons.

So this place wis aa computerised, ay, the pumps n aa that. There wis three pumps, twa sma kin o eens n a bigger een. This big een wis needed tae push e waater up the hill intil e tanks. Weel, aa this saved them a fair bit o money becis they hid been peyin a fair bit oot on waater rates, n it wis pitten in in sic a wye that if w decided tae bore anither couple o holes it could be easily linkit ontil the supply.

There's lots o places, especially alang e Moray coast far it can be difficult tae get e waater oot mainly becis o silt. If ye landed wi a silt deposit it could be too costly tae case it ower far doon, ye wid maybe get waater bit ye canna get the tube richt doon.

Fit wid happen wid be, e farrer ye pit e tube doon the sand n silt wid jist come up n es wid stop e waater gettin up, so ye jist hiv tae abandon that kin o a hole.

Yer best nae tae say that yiv niver haen a bad een, A've haen een ar twa, ay, dry kin o holes aat ye wid hiv said wisna suitable. There wis een aat w waur haen problems wi, an English lad, the hole wis aye siltin up bit this he couldna understand, he reacted a wee bittie ! Ah weel, ye get that noo n again!

Then w did, wi the quarry drill, a job at Mackie's Dairy. He wis richt lucky becis he'd a bit hang in his ground n this meant that he could aye get it tae rin by gravitation. W bored a twa three holes n linkit them up then he cam in wi his digger n made a collectin area. He took on e dairy at Piriesmill at Huntly so w did a job there for him asweel.

There's afa variations in grun, ye could be drillin a bit far e grun wis afa hard n heathen kin, ay, maybe a close kin o a rock. If its like aat e waater is slow tae come in n ye dinna get sicca good flow rate, bit if e grun is open kin wi lots o cracks in't then ye get a far better n bigger flow rate.

In some places ye get fit is caaed artesian wells n ower e eers A've hid tae dae wi a twa three o them. A think een o e maist interaistin eens A've wirkit on recently wis at Thomson's o Tynet nae far fae Fochabars, es wis a dairy fairm so they needed a guid flow o waater.This wis e first een aat A've iver hid tae pit in an overflow at. It wis Sandy Willox aat wis drillin e hole, aboot echty fit doon he gid n there he hit waater. Fin he wis screwin on e five fit linths o pipe, b' the time he got them screwed on n chappit doon e waater wis comin up oot ower e tap.

There wis a flow o a thoosan gallon an hour bit there wis a very fine san comin up wi't, es wid hiv made a gey mess o e pumps. W tried aathin tae stop e san, pittin in mair sleevin, pullin e casin n sic like bit na, na, e san kept on comin up. So w shut es een aff, w cam on a shelfie o rock n w waur able tae bed e casin intil it n aat shut aff e thoosan gallons. Then A decided aat w should drill a bittie farrer doon n at jist ower a hunner fit w hit gravel n throu e gravel cam a gran flow o bonnie clean waater – eichteen hunner gallon an hour.

Noo fit I think it wis, wi it bein sae near the sea w wis in e twa ice ages, e first een at eichty fit far w hid a thoosan gallons hid bin e second ice age bit then fit w gid farrer doon, at jist ower a hunner fit, w hit e gravel this wid hiv bin e first ice age. Oh A ken aat some fowk laach at es idea bit aat's fit A really think wis fit it happened.

Fin A started at Balgownie there wis a young lad there fa kent aa aboot drainin bit the drillin lads, weel, they wid aye refer tae me, ony questions, ony problems n they wid cam tae me aboot it.

Weel, efter a whilie he says tae mi "Ye ken, A wid like tae hae a bittie mair say aboot things." "Oh lord" A says "I'll easy gie ye mair say, nae bother ava." So es laddie, he got mair say. Weel, they waur daein es job, they hid drilled the well aricht n they cam tae pittin e pump doon intil e well. Noo fin yer lowerin a pump doon intil a well yer aye best tae pit doon a wecht first, weel, es lad he didna, so fin he pit doon e pump it hid knockit a steen doon on tap o't.

He tried aa wyes tae get e steen meeved bit nae luck, then he tried tae lift e pump oot wi e loader. Weel he hidna been afa canny n he maun hae gien it a bit o a tit n so he pul't e heid aff e pump. So aat destroyed aat pump bit they winnert if it wid sort up so they got a shottie o an aul-fashioned pinch frae an aul lad n they drappit it doon e hole on the eyn o a chine, weel ye can guess fit happened, it got stuck asweel.

Noo es wis jist an aul pinch aat ye could likely pick up at a roup for aboot fifty pence, bit e aul lad fa ained it hid got it fae his gran-faither, n he winted it back, he didna wint tae leave it doon e hole ! So they hid tae get back in e drill tae bore anither hole afore they could get it oot.

A gey costly mistake, bit weel, ye div learn fae yer mistakes.

Chapter Ten

Ower e waater n back again

THERE wis anither cry gid up for mi tae ging back ower tae Orkney again tae this ither twa fisher places. Fin w got tae Kirkwall w hid tae fly fae there ower til Westray in a little eicht seater aeroplane, es is a flight aat jist laists aboot twa minutes, ay, yer nae seener up than yer doon again.

So on Westray a markit een ar twa places then A hid tae see a lad fae e Cooncil. He says tae mi "Ye ken, ye mak us gey embarrassed, aa the success aat you get wi jist yer wires n yer aal waatch, n here's us wi aa the fancy gear aat we hiv n we dinna hardly get ony results!"

Then he gid on n speired at mi if A wid be game tae gyang tae North Ronaldsay?
A said aat A wid. Es Cooncil lad, he said aat a geologist hid been there bit hidna hid verra much success. Ah weel, fin A got up there A fun oot aat A hid arrived at a bad kin o a time, there hid jist been a

bereavement on the island, n becis they waur aa a gey close knit kin o fowk they waur aa gey quaet kin, fit ye wid say, a bittie wary kin o strangers.

Weel e fairmer faa A wis gyaun tae divine for he wis a North Ronaldsay man, born n bred on e island bit his wife she cam fae Leith n she wis a bittie reluctant tae spik. Bit in e evenin fan w wis haein a bit news n I wis quizzin them some aboot e island, she fairly opened oot n spoke a guid bit aboot aa e different wyes they did things on e island.

Hooiver, afore aat, fin A wis in gettin mi denner, I speirs at e lad "Fit kin o coo is aat aat ye hiv, fit breed wid ye class her?" "Well, well" he says "she wid have a Charolais father." "Ay' says I "bit there wid be a cross in her, fit wis her mither?"

Noo, the cooncil waater lad he wis gettin his denner asweel n so he says "Wid she nae be a North Ronaldsay coo?" "Oh well, well" says e fairmer "I don't think so, she's a bittie thin, bit she did have a lovely mother!" So w niver did fun oot fit kin o breed his coo wis!

North Ronaldsay is weel kint for its sheep, noo they're aa keepit on e shore far they feed on seaweed. A dyke, it maun be aboot five fit high, his been biggit aa roon e island, A think somebody said it wis aboot twelve mile lang. Es wis deen tae keep e sheep on e shore n tae keep them aff their guid arable grun n their girss.

Three times a year e sheep's aa githered up n driven intil punds, in some pairts o the island es is caaed 'hooterin in e sheep'. The Islanders dinna normally use dogs for daein es job, they wait til e tides comin in then they drive e sheep themsels n makin a lot o noise as they dae it. Ay, it wis aa maist interaistin.

Ah weel, A hid deen some divinin n markit een ar twa places n doon aside e manse A saa aat there wis an aal well, so A speired at e lad if it wis ony eese, "Oh ay" he says "sometimes a cow will need a pail of water!" Ay, aat wis aa aat he said bit it wis e wye aat he said it aat made mi think! I began tae sense aat they thocht aat I micht destroy fit wis their heritage so A hid tae say tae them aat A wisna there tae dae that, A wis there tae try n improve their waater supply, A think they waur pleased aat A said aat.

Noo as A said there hid been a bereavement, an aal islander hid passed away, n es hid upset them aa, n it wid seem aat their Minister hidna played his pairt richt, A dinna ken fit wis wrang bit it hid been the heid elder fa hid deen e funeral service. So aa this made m trip tae North Ronaldsay a wee bittie awkward kin.

Anither job aat A did wis up in Sutherland at Ray Forest, es wis pairt o the Duchess o Westminster's estate. There wis a wee schoolie there n the powers-at-be, weel they waur threatenin tae close it doon becis the waater supply didna cam up til their requirements. Aa this cam aboot becis a lad fa hid cam up fae somewye in England wi a bug, ay, a sickness bug, n then took es bug again nae lang efter comin up, weel, he blamed e waater n he made a helluva fuss aboot it.

So the environmental lads they cam in n wis gyaun tae close the school doon, mercy es caused a fair bit o an uproar in e place. So I gid up n divined roon aboot n markit a spot far w then bored doon, w only hid tae ging doon aboot forty fit n ye ken the waater aat w got wis nine degrees warmer than normal, apparently es wis becis o the effect o e Gulf Stream.

So w wis able tae save e schoolie. Es wis e job far fin they waur borin the hole did they nae burn oot the starter motor, es wid hiv been aboot ten o'clock in the mornin, so they speired if I wid drive doon til Kinellar n get a new een.

So I set aff n A took Ian Morrison's mither-in-law, ay he's e lad aat wis in charge at Ray Forest, A took her doon til Macduff then held on tae Kinellar. Tae let them get goin, efer A hid gotten the new motor, A jist turned aboot n cam back up aat nicht.

Tae keep mi waukened fin A wis drivin up e road A wis playin ma tapes, ay real loud kin, n so I wid change ower the tape, noo I dinna ken if ma car hid gien a bit o a weave, a bit o a wobble, bit fa wis comin ahin bit the bobbies. Their lichts cam on so A drew intil e side n stoppit n wound doon ma winda, his heid cam in a bittie in at e winda n A says til him "Ye winna smell ony drink on me."

The bobbie gave a bit o a grin, he wis probably

thinkin at aat wis richt eneuch becis e tape aat wis playin wis 'One day at a time, Sweet Jesus'! So A telt him aat A wis e Supervisor o e waater job at Ray Forest n mercy, A wis ushered back ontil e road. A think fit it wis, wi my car wi a strange number plate bein seen in e foreneen n then appearin again at nicht it made them a wee bit suspicious, they waur lookin oot for deer poachers.

There wis ae nicht Ian Morrison asked mi in for a wee dochen doris n a news, n of coorse w waur haein a bit o fun n banter, n so Ian says tae mi "Ye ken Neil, there wis ae year here fin I wis the strongest man in es parish!"

"Mercy" says I "Aat's jist a fair thing tae say, fit wye did ye dae that?" "Oh" says Ian "I fathered half the children here that year!" "Weel, weel" says I "that hid been a fair tak on." "Ay" he said "bit there wis only two born that year!"

A've deen een ar twa jobs for Lord Laing, aat's e Laing o Laing's Biscuits, weel he his an estate aside Forres. There wis a well aat A did for him n ae day he phoned mi up tae say aat he cwid see aat there wis a very fine san in his bath-waater, cwid A dae onythin aboot it? So fit A did wis tae get a very fine mesh aat widna let e san get throu. A took it up til e lad aat wis Lord Laing's caretaker, e lad faa lookit efter e place fin his Lordship wis awa.

So he says tae mi "Och, A dinna think w need tae dae this, there's nae muckle wrang wi e waater." "Well" I says "I wis telt tae get this mesh for this job", n A says "are ee wirkin for e Lord?"

Of coorse he said aat he wis. "Weel" I says "ye'd better pit it on, it's fit he wants, nae fit you think!" So e mesh wis pit on n it certainly helpit things.

Lord Laing also his e Logie Estates n A've deen a guid fyow jobs there for him wi Grant Nicolson a local contractor on e digger. Ae job w hid tae dae wis tae dig a fair length o a track tae catch as mony viens o waater as w could. A solid pipe wis put in then a perforated een wi a hunner n twenty tons o gravel, es wis aa covered wi plastic sheetin, ay, it wis a fair job. A think there wis twenty hooses depended on this waater supply alang wi aboot twa hunner beasts.

Anthony Laing, A think he's a sin o Lord Laing, he his a place a bittie farrer up e glen. His well wis gyaan dry bit w found the aal well so A got Ron Grant on e digger tae dig it a bittie deeper, es wye w managed tae get mair waater for him. Fin w wis workin there w aye got richt fine hame bakit scones till wir fly-cup!

Anither job aat A did for Lord Laing wis tae mak a pond for him. W did hae een ar twa problems wi it, sma leeks n sic like, bit w managed tae get them sorted oot. Bit then there wis ae eer, an afa eer o rain n floodin n e pond burst, ay it made an afa mess o't. The biggest problem wis caased b' a rock in e middle o the river, ay, the Findhorn river it wid be. Weel wi aa the rain the river wis in spate n it broke its banks, the rock wis a bittie like e bows o a boat, cuttin e waater n castin it alang wi aa e rubbish comin doon wi it intil e pond.

It fairly made a gey sotter o the laird's pond bit A'll say es aboot him, he wis richt straight wi me, aa e wirk aat A hid deen on e pond aat hid bin ruined b' the floodin he compensated mi weel, as he said it wis jist an act o God n he cwidna expect me tae tak aa e loss, ay, a very genuine man. They managed tae get rid o e rock in e river aat hid caased aa e problem – they got in a digger wi a rock-bracker!

Fin w waur wirkin on e pond een o e lads in e squad wis an Irishman. Noo w hid a sheddie far w cwid ging intil for wir breaks n for wir denner n sic like. There wis a wee gas stove in there asweel so aat w cwid heat wir soup ar eyven hae a bit o a fry-up. Weel es Irishman hid e fryin pan on e stove so A says til him "Tell mi, Paddy, div ye tak an egg ivery day?" "Oh no" he says "I take two, one would jist be very lonely in the fryin pan!"

Spikkin aboot ponds A did een nae afa lang ago for e Laird o Udny, a Mrs Williams. She winted een made in the grounds o e castle tae try tae attract mair wildlife inaboot. Ah weel, A wirkit oot far e best place for it wid be, lyin atween e castle n e aul stables, n then Sandy Milton her Fairm Manager cam in wi his digger n got it aa dug oot n made up its banks. It seems tae b' daein nae bad, its got a twa three deuks in't n some ither birdies asweel. A gid in by jist last eer tae see fit it wis like n michty A

cwidna believe ma een, here wis a lad, weerin wad-
ers, gaun aboot in't wi a poacher's net? Bit then as A
got a bittie closer A saa aat it wis Sandy Milton
himsel n he wis tryin tae tak aff aa e leaves aat hid
faan intil't n wis blockin up e outlet pipe. Weel, aat's
fit he said he wis daein!

Chapter Eleven

Helpin man n beast

OWER e last eer ar so A've been daein a bittie o fit they caa faith healin, n it wid seem aat A'm able tae dae a wee bittie o good wi it. It wid hae started awa back aboot sixteen eer's ago, ay, jist roon aboot e time aat Cathie died.

A hid a lad on ma doorstep jist the ither nicht here, he wis een o the first eens aat A hid been able tae help, ay, aat wis a guid fyle back, so he hid cam back for a bittie mair help.

Fit it wis, he drove a float for this fairmer aat I wis inaboot spikkin til, ay, n the fairmer telt mi aa aboot him so I says til him tae tell e lad tae cam in past n see mi, so he did. Oh he wisna feelin richt n he hid a leg aat wis gien him a fair bit o pain, he wis gey ill-naittered n fyles nae carin verra muckle aboot his wirk.

Of coorse es made e lads aat wirkit wi him ill-naittered wi him n made him think aat they waur bein naisty wi him. So aa this built up so he wis depressed n he wisna sleepin at nicht, it wis aa gettin worse for him.

So A took him in n first of aa A massaged aboot at him, then A did it aat new wye aat A hid fun oot aboot in a book. Fit A did wis tae tak ma hans ower his heid n deet a bittie like an X-Ray wave, weel he couldna lift his leg afore A started bit gin e time A feenished he could. I could feel a tinglin in ma fingers n then he began tae get a tinglin in his leg, weel aat wis jist the sign aat he wis needin n in a wee whilie he wis roaded.

Anither thing A aye dae fin A'm wirkin wi fowk like this is tae get them tae say fit A caa ma motto, n aat is "Step along gaily, trouble in front isn't there", ay, A aye get them tae say that.

A wis able tae help ma Son asweel, he hid hid a tractor accident far a chappie hid killed himsel, ay, it wis jist speed n it wisna Neil's fault. Didna maitter, efter a fylie Neil began tae get flashbacks o the accident n it wis this aat wis fair upsettin him, n so es nicht he cam in past n said tae mi aat he didna think he wid be able tae dae the lambin neist day. Ah weel, e followin mornin A telt him tae come in n tak aff his biler suit n jist b' pitten ma hans ower him a twa three times, he gave a bit o a shudder then he cam tee again, ay, n wis able tae get on wi his wirk.

There wis anither young lad, ay a twa three eer ago, he hid faan aff e back o a larry, aboot twenty fit he hid faan n landed on his back on a cement fleer. His father cam tae mi tae see if I wid dae somethin tae help him, he said aat he hid gien him a bit o a skelp tae see if aat wid take him oot o't!

Ah weel, he did cam n A gid ower him, there wis naethin broken, it hid jist been the sudden thud on his back fin he landed, this hid been a shock til his system. So then A got him tae spik aa aboot things, he wis jist bottlin lots o things up, he wis thinkin his neighbours n his freens wis ignorin him bit it wis e ither wye roon, ah weel, aa this cam oot asweel as lots o ither things.

Ye ken A jist heard nae afa lang ago aat he 's back drivin his larry again n aat wis efter bein aff his work for aboot twa 'eer.

Nae afa lang ago A hid a young husband cam til mi n said aat him n his wife hid bin tryin sair tae hae faimily bit wi nae success, cwid I dae onythin!?

Weel, A hiv tae say, A got a wee bit o a begeck wi aat question n for a meenity A winnert jist fit he wis wintin mi tae dae? Ay, fairly, weel bit e lad gid on tae say aat een o his wife's Fallopian tubes wis blockit. So A tells him tae cam back wi his wife n A wid see fit A cwid dae.

They baith cam back a twa three days later n A telt her aat A widna touch her bit aat A wid pass ma hans ower her, so A did this. A says til her "ye ken yer a bittie on e lean side, ye cwid dae wi a some buildin up".

So A telt them aboot a vitamin tablet aat they cwid get aat e chemists n aat she should tak een ivery day for e first month then try twa a day efter aat. Ah weel, it wisna afa lang efter fin A got a phonecall fae the lassie's stepmither tae say aat e lassie wis pregnant bit sadly aat e baby wis in e ither Fallopian tube.

Of coorse fit did A say? "Trust him tae pit it in e wrang place!" Ay, it wis oot afore A kent o m'sel. Weel, weel, A telt her tae tell e lassie tae try again, dinna gie up, n ye ken, A'm afa pleased tae say, they hid a healthy baby boy nae afa lang ago. Ay, n the lad did it richt es time!

A discovered aat A could help beasts asweel as fowk wi this faith healin. The first een aat A did wis a bull aat hid got afa lame, A think fit hid happened wis aat fin they waur parin it's feet they hidna him richt shankit, ay they hidna tied his legs richt, n so a been hid cam oot o its socket.

Ye could see aat it wis in a gey bit o pain, becis a nerve hid been trapit. So on ma first visit A put ma hans ontil e lump far e jint wis then A pit ma neive ontil't n gid it a fair bit push. Michty, aa of a sudden it's hurdies swalt up at an afa rate, so A kent A widna be able tae dae ony mair aat day.

A gid back a couple o days efter n e swellin hid aa gin doon so A pit ma hans on again for a wee fylie then gave it anither push wi ma neive. A gid back a twa three days later n did e same again n es time fin A pressed it wi ma neive e been clickit back intil its socket. E bull walkit awa wi nae sign o ony lameness ava, n A believe it wis selt nae lang ago for five thoosan three hunner guineas!

Jist e ither eer here A hid tae ging up tae Alford tae tak a look at anither bull, he hid stoppit servicin his coos n appearandly the vet hid said aat it probably widna iver be able tae service again. It wis a young couple aat ained e bull n they hid peyed a guid bittie for it so of coorse they waur gey sorry n upset.

Weel A could see aat it was swayin a bit in his hin-eyn so A put e wires ower him, ay, jist ower his back n they pinted tae something nae bein richt. So then A ran ma hans doon ower his flanks n as A did this A could feel twa lumps, een wid hiv been aboot e size o a medium sized egg, the ither een wis smaer. So A pit baith ma hans ontil the sma een n efter a wee fylie it disappeared. A then pit ma hans ontil e bigger een n again efter a fylie it began tae get a bittie smaer, it wis jist as though it wis disolvin awa.

A gid back a couple o days later n did e same thing then fin A gid back a third time, ye ken, the bull he jist steed there as though he wis asleep as A pit ma hans ontil him again, n then es second lump, it jist disappeared.

Ah weel, A'm pleased tae say aat e bull his serviced his coos again very successfully, n jist the ither day A wis at the mart at Thainstone n saa een o his progeny bein awarded the fifth prize.

Chapter Twelve

Odds n ends

MA dother Kathleen, she wis born in Banff, bit ma twa loons Neil n Ronald, they waur born in Aberchirder which of coorse is better kent tae aabody roon aboot as Foggieloan.

Noo than, fin yer born there ye can caa yersel a 'Gadgie', bit for e life o mi A dinna ken far e wird cams fae!

Ae gey weel kent adopted 'Gadgie' wis Simon Brown better kent as Aal Broon fae Foggie toon or e 'Bard o Foggieloan'. He wis an adopted Gadgie becis he wis born in e parish o New Deer. He wis a richt droll kin o a chiel n some o e poetry n verses aat he recited wis ivery bit as droll. Some nichts fin he cam intil e pub he wid recite some o them n hid's aa sair wi lachin.

Bill Legge, he wirks for Bingo Bremner (a Gadgie) in the quarries n he invited me in ae Hogmanay, ay, instead o me sittin aboot b' m'sel. So w hid een ar twa drammies n then w wid ging up e road tae see Bingo far w hid anither drammie ar so.

Weel comin back doon e brae, its a lang, stracht brae, n as wir comin doon e brae Bill says tae mi "Michty, Neil, fit e hell's aat doon there?" Weel it wis a puddle o waater at e boddom o the brae wi the meen shinin in't, so I says tae Bill "It's the meen."

Bill looks doon at it again n shaks his heid n says "Fit e hell wye did we manage tae get as far up as tae be able tae look doon on e meen !?"

Ye ken, aat wee motto o mine aat A often use, 'Step along gaily', wis certainly true aat nicht as w made oor wye hame!

Bill Rennie (anither Gadgie) faa his e Spar Shop in Aberchirder reminded mi the ither day here o a local tradition aat cam til an eyn in e 1970's.

For maist o the 20th century n probably maist o the 19th een afore Foggieloan hid it's ain Toon Crier or Bell Crier. Maist o his wark cam durin e months o Aagist n September fin e toon's waater supply eesed tae aye rin dry, bit he wid mak ony ither important announcements aat hid tae be made asweel.

Hooiver, in e 1960's a new waater supply wis installed n aat saa the eyn o e Toon Crier. Weel bit a fyow eer back it wis decided tae bring him back, ay, jist as a one off n for a bittie o fun. Faa div ye think got e job? Aat's richt, es mannie Mutch, e waater mannie! A hid tae gyang aboot dressed in ma kilt n ringin es bell, up ae street n doon e ither. If A min, fit

A hid tae shout oot wis somethin like this – 'Hark ye, hark ye, hark ye – the waater supply will be shut off at twelve noon tomorrow for one hour – hark ye, hark ye hark ye'.

Ay, its amazin e kin o things aat A get roped in for, anither thing A dae is tae help e Inverurie Pipe Band. A organise far they play, sort oot their route aat they hiv tae march along. Of coorse A'm aye dressed in ma kilt so they caa mi 'The Chieftan'.

Ma grandson Gary Raeburn is a member o e Starthbogie Young Fairmer's Club n een o their competitions is run b' Thainstone Mart. Noo es competition is foo tae look efter, n foo tae prepare cattle fae bein spent calves, tae bein beasts ready for sellin at e mart.

So he cam tae mi tae see if he cwid keep his beast at Rowantree n see if A cwid gie him a wee bit o a helpin han asweel. He wis jist gyaun tae buy ae stott bit A says til him aat he wid be better wi twa or maybe eyven three tae wirk on, so aat's fit he did. Michty he's richt enthusiastic aboot it, n ye ken, A'm fair enjoyin m'sel asweel!

Its twa stotts n a heifer aat he's got n he his named them 'Mather's Black Gold', 'Big Boy' n 'Waltzin Matilda'.

Noo becis he's learnin tae be a butcher like his faither he got his first stott's name fae a pack o meat they sell caaed Mather's Black Gold. It wis me aat named e heifer Waltzin Matilda becis o e wye aat she swings her heid fin she waaks. Weel, A'm teachin him aa aboot foo tae halter them, foo tae waak them roon in e show ring, foo tae wash them doon n tae clip n dress their heids, n of coorse fit tae feed them.

Bit afore w stairted A telt him jist fit I wis telt fin A wis his age n learnin tae be a horseman – 'A'll tell ye eence, A'll tell ye twice, bit three times is ower muckle', n es jist means aat if a body his tae be telt three times he's nae payin eneuch attention.

Ah weel bit Gary is peyin attention, eyven though A'm a bittie aul-fashioned, ay, mair o a tradiitionalist, especially as far as feedin is concerned. Wi them bein spent calves nae lang awa fae their mithers ye hiv tae waatch foo ye feed them.

Ye easy ken if yer feedin yer beasts richt b' keepin an eye on their dung. If ye see black streaks in it this is a guid sign, it shows aat their digestive system is wirkin richt n e mair dung they pass lets ye ken aat they're takin time fin they're chawin e kweed.

Nooadays a lot o fowk will hud in e barley intil their maet bit. A dinna think aat's verra good for them so w gie them less barley bit wi some molasses n beef pellets, asweel as sma-cut bitties o neeps. They aa seem tae be thrivin on es diet nae bad like.

Its aa verra weel haein them weel fed bit ye hiv tae be able tae present them in a favourable kin o a wye on mart day, so tae this eyn A've bin showin him een ar twa tricks o e trade ye micht say.

For example fin yer waashin them doon jist pit a wee drappie o sheep dip intil e waater, es brings up e colour o its hair. Fin yer brushin them its best nae tae be ower hard n a wee drappie o vegetable ile will help mak their coats shine, its jist thingies like aat at A've bin showin him n tellin him.

Ah weel, e competition wis judged e ither day here n he did nae bad, his beasts got a third, a fifth n a seventh, Mather's Black Gold cam third n Big Boy cam seventh, then his heifer Waltzin Matilda got a fifth in her class.

Ay, nae bad ava for his first effort.

As A said afore, A'm fair enjoyin m'sel helpin Gary, n ye ken, maybe in a wye A'm seein in ma Grandson a wee bittie o m'sel fin I wis aat age!

*"Step along gaily, trouble
in front isn't there"*